月のしずく

浅田次郎

文藝春秋

目次

月のしずく

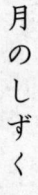

月のしずく

1

いいか、ぼうず。俺ァべつに、酔っ払って説教たれてるわけじゃあねえんだぞ。

こうしてぶうらぶら国道を歩いて帰るのも、車代を倹約してるわけじゃねえ。銭ならほれ、まだこんなに持ってらぁ。

なんたってきょうは十五夜さ。いくら給料あとで懐があったけえからって、いつもみてえに酒飲んで女買って、それじゃああんまり能がねえだろ。

そりゃあ、おめえらの気持はわからんでもねえよ。コンベアの流しかたも、パッキンの裏表もよくわからねえような大学出の監督に、ああせえのこうせえの言われるのはたまらねえ。

したっけ、考えてもみな。あいつらはみんな一年もすりゃ東京の本社に戻ってネクタイ締めるんだぜ。その点おめえは、学歴があるわけじゃなし、ほかに取柄があるわけじゃなし、俺みてえに二十何年もパッキン担げとは言わねえが、ま、当分は第六工場から出ることァあるめえ。班長や指導係に睨まれるだけ損てことだ。もうちょっと大人になれって。若い監督ぶん殴って、そりゃあ当座は気が済むかもしれねえけど、長い目で見りゃ得なことはひとつもねえ。

六工のパッキン積みも悪かねえぞ。二十何年も同じことやってる俺が言うんだから、まちがいはねえ。給料だっておめえ、俺の若い時分とは月とスッポンだ。

信じられっか。俺がおめえの齢にゃ、手取りで三万なんぼ、酒も飲めねえ、女も買えねえ、週休二日なんて夢のまた夢だった。それでも俺みてえな中卒の、読み書きも満足にできねえのはよ、ここいらじゃコンビナートに行くか自衛隊に入るかしかなかったんだ。

やめたって、ろくな仕事はありゃしねえよ。黙ってたって三年勤めりゃ、フォークの免許と危険物取扱ぐれえは取らしてくれる。うまくすりゃ大型一種だ。やめるんならそれからだって遅くはねえし、そのころにゃ小金もたまってるだろ。

そりゃあ、つまらねえ仕事だよ。朝から晩まで、えっちらおっちらパッキンかついで、トレーラーに積んでよ、要するに昔で言うなら沖仲仕だな。船が車になっただけのこった。だがそれを言うんなら、面白え仕事なんて、世の中そうそうあるもんじゃあねえぞ。ましてやおめえらは、いい給料もらって、土曜も日曜も休みで、不満なんか何ひとつねえはずなんだがなあ。

俺のこと考えてみろ。四十三だぞ。おっかあもいなけりゃ子供もいねえ。あたりめえだけど。独り者だから社宅にも入れねえ、手当だって何もねえんだ。てことはおめえ、三十年ちかくも勤めて、おめえらと給料がちがわねえんだよ。ブルーカラーの悲劇ってやつだよなあ。そんで、工場でごたごたがあったときにゃ、いつも仲裁役だ。何で俺が班長や監督に頭下げなきゃならねえの。おめえらに身銭きって酒飲ませにゃならねえの。

やつらもやつらだ。タッつぁん、あとよろしくなって、どういうこった、それ。

根本班長と俺が同期の入社だって、知ってるか。知らねえだろう。何でこんなに差がついちまったかというとだな、つまりあいつは高卒で俺が中卒。あいつが所帯持ちで俺がチョンガー。それともうひとつ、あいつはりこうで、俺はバカ。

まったくバカなんだよなあ。てめえで言うのも何だけど。

口は達者だけど、字が書けねえだろ。カタカナとヒラガナしか。計算とかもできねえしよ。できることっていやァ、五キロのパッキンをよ、五の十で五十のワンセット、三セットの百五十を、きっちりすきまなくトレーラーに積むことだけだ。

それなら自信あるぜ。計算しなくたって体で覚えてるからな。二トン半のアルミバンが来たって、十トンのトレーラーが来たって、ぜったい崩れねえように積めるもんな。

そのテクニックだけはよ……おい、笑うな。

そのテクニックだけは、まず六工じゃ右に出る者はいねえ。いいや、会社の中にもいねえ。コンビナートぜんぶ見渡したって、誰にも負けやしねえさ。

――ああ、それにしてもいい月だなあ。

俺がガキのころにはよ、ここいらに工場なんてひとつもなかった。国道の脇は堤防で、その向こうはずっと海だった。爺いも親父も漁師でよ——嘘じゃねえって。俺もガキの時分にゃ親父の手伝いで舟に乗ってたんだ。

今から思や、何で埋立のとき反対しなかったんだろうな。みんなたかだかの銭に、目がくらんじまったってわけさ。銭なんざすぐに消えてなくなるのになあ。

海さえありゃあ、おめえ、誰に頭下げることもねえし、サイレンに追っかけられて仕事することもねえし、第一、食うに困らねえよ。埋立さえしなけりゃ、まだここいらは鰯でも鯔《ぼら》でも浅蜊でも、てめえの食いぶち以上には獲れてるはずなんだ。

海を売ったたかだかの銭なんて、俺ァ見てもいねえ。どうしたかって？……さあ、どこへ行っちまったんだろう。あのころァ、親父も近所のやつらもみんな、天下取ったみてえにうかれやがって、毎日競馬だァ、競輪だァ、酒だ、女だって遊び狂っていやがったからな。

おかげさんで、倅が中学出るころにゃすかんぴんさ。県立を落ちたら、コンビナートへ行けでやんの。定時制に通わしてくれっから、高い銭はらって私立に行くことなんかねえって。ところがどっこい、朝から晩まで腰の抜けるほどパッキンしょわされてよ、誰がそのあと学校なんか行く気になるもんかね。

そうそう、あのころにゃまだ、搬出場にターミナルができてなかったんだ。だからコンベアで上がってきたパッキンはよ、いったんフォーク・リフトに積んで、六工と五工の間の狭い路地を抜けて、ほれ、いま事務棟になっているあたりにな、出荷センターっていうバカでけえプラットホームがあって、そこで積載したんだ。

俺たちを「蟻ン子」って呼ぶのァ、そのころのなごりだな。フォークと一緒に狭い路地をゾロゾロ歩いて、パッキン積んで、またゾロゾロ工場に帰ってくる。だから蟻ン子さ。

今じゃゴキブリ？……ハハッ、そいつァいいや。ターミナルのデッキの上をチョロチョロ走り回るから、ゴキブリか。

だが、ゴキブリも数が少なくなったもんだ。俺たちのころにゃ、一工から六工まで五十人ずつ、ええと、五、六の三十か。三十人？　いやちがうな、三百人か。ともかくそのぐれえの蟻ン子がいた。

今は何人だ。六工が十八人だろ。三工までは搬出ラインができ上がってるから、蟻ン子はいねえ。四と五と六で、ええと——ま、だいたい五十人かそこいらか。

それにしたって、半分以上は外国人になっちまったな。ばかくせえっていう、おめえの気持は、まあわからんでもねえ。

ラインが完成したらどうなるんだ、え？　お払い箱か。まさかな。今さら働き口なんてあるわけねえし、おめえら若い者はともかく、俺の居場所はきちんとしておいてもらわなけりゃ困る。守衛でも、焼却場でも、食堂の賄《まかな》いでも何でもいいや。

ああ――それにしてもいい月だな。

こういう晩は、野郎二人で歩くもんじゃないね。

若い娘なんて、贅沢は言わねえよ。せめてかみさんがいたら、手でもつないで、こういうお月さんの下を歩きてえ。

ブスでもデブでも何でもいいよ。やらしてくんなくたっていいさ。どんなのだって、かみさんになってくれりゃ、大事にするんだがなあ。

……アレ。どこ行っちまった。

なんだよォ、俺ずっと独りごと言ってたんか……。

2

三十年ちかくもコンビナートの荷役《かえき》をして、その間に何ひとつと言ってもいいほど変わりばえのなかった佐藤辰夫の生活に、椿事が訪れたのは、秋も初めの十五夜の晩だった。

なかぞらに貼りつけられたような満月が、トラックの行き交う国道をまっさおに染めていた。

湾岸コンビナートは十キロも続いている。満艦飾の灯りをともした高炉があちこちに立ち上がり、煙突の先端からはオレンジ色の炎が吐き出されている。

ふるさとの海の上にでき上がったこういう風景が、辰夫は存外嫌いではなかった。そこには造り物の安心感があった。

渚はコンビナートになり、砂利道の国道は片側三車線の産業道路となり、松並木はいつの間にか伐り倒されて、分離帯にパームツリーが並んだ。

田圃も畑もきれいさっぱりなくなって、マンションと建売住宅になった。海岸線はコンビナートの敷地の先に何キロも遠のいてしまったから、東京湾の対岸の灯も、三浦半島や丹沢の山なみも見えない。

郷愁を喚《よ》び醒ますことのないふるさとは、見知らぬ異国と同じだった。

だが、その晩だけは十五夜の満月が、昔を思い出させてくれた。最終のバスをやりすごして歩いて帰る気になったのは、若い者を説教するためではなかった。のどかな漁師町のころとどこもちがわぬ満月が、夢見ごこちに辰夫を歩かせた。

運河にかかるアーチ橋の上で、辰夫は月を映しこむ水面《みなも》を覗きながら一服つけた。

昔、この運河は漁船の舟溜りだった。コンビナートで働き始めたころは曳舟《タグ・ボート》の繋留場所だった。やがて陸送が海運にとって替ると、たちまち都会からやってくる金持ちたちのクルーザーで埋まった。

すべてがそんなふうに変わってしまうのだから、喪《うしな》われていくものへの愁いなど感じるひまはなかった。たとえば、ぼんやりと映画を観ているようなものだ。

――車の止まる気配がして、辰夫は振り返った。

自分の説教に愛想をつかして逃げた若者が、車で送りに来てくれたのかと思ったが、そうではなかった。少しさきの橋の上に急停止したのは派手な暴走グループの車ではなく、シルバー・グレーのベンツだった。

長いショールを翻《ひるがえ》して、女が降りた。ドアを閉めかけて、何ごとか口汚く罵る。女は怒っている。

辰夫は手すりから身を起こして、思わず、「うわ。いい女だなァ」と独りごちた。

ショールから抜き出た腕はまばゆいほど白く、髪を結い上げた顔かたちが、遠目にも美しかった。何の揉めごとか知ったことではないが、怒りに吊り上がった眉が、またいい。

車の中から男の怒鳴り返す声がした。どういう悶着にせよ、何とまあ贅沢な男だろうと辰夫は思った。

女は思いきりドアを閉めると、車の後ろに回って品川ナンバーのプレートを蹴った。それから黒いドレスの裾を太腿までたくし上げて、ガードレールを踏み越えた。

運転席から男が降りてきた。いかにもベンツとワンセットという感じの、派手な男だった。

「へえ」と辰夫は妙な感心をした。まったくテレビドラマだ。折よく車の往来がとぎれて、二人のやりとりがはっきりと聴こえた。

「いいかげんにしろよ。こっちが甘い顔してりゃつけ上がりやがって」

「ふん、あんたに亭主ヅラされる覚えはないわ。じゃあね、バイバイ」

「それだけか。さんざいい思いして、ありがとうもごめんなさいもねえのか」

「いい思いしたのはどっちよ。ふざけるのもいいかげんにして」

男はいきなり女の二の腕を引き寄せて、頰を殴りつけた。ごつんと音がして、女は舗道に倒れた。

「あっ」と辰夫は声を上げたが、仲裁に入ろうなどとは考えなかった。あまりに突然のことで、テレビと現実との区別もつかなかった。

「ひでえことするなあ……」

倒れ伏した女に向かって、男はさんざ悪態をついた。運転席から手提げ鞄を取り出し、乱暴にひと摑みの札束を抜き出すと、女の上に撒き散らした。

「盗ッ人に追い銭か。頭ひやしたら電話しろ、きょうのことは忘れてやる」

ベンツは唸りを上げて行ってしまった。

むっくりと身を起こすと、女はまず乱れた髪を解いた。首を振って長い髪を解き落としてしまうと、べつにあわてるふうもなく身の周りに散らかった札を集める。

風に吹かれた一万円札が足元に飛んできて、辰夫はやっと現実に喚び戻された。何枚かを拾い集めた。ダンプカーが走り過ぎて、拾おうとするそばから、札を運河の上に吹き飛ばした。

「ああ、ああ、もったいねえよ。ねえさん、お金、飛んじゃうよォ」

女は初めて辰夫に気付いた。ちらりと顔を上げたなり、かかわりを避けるように歩き出した。金は散らかったままだ。

「よう、そりゃあねえだろう。ちょっと待て、待てってば」

女は振り向こうともしなかった。しばらく歩いて、いまいましげにハイヒールを脱いだ。ベンツを蹴とばしたとき、踵が折れたらしい。

「待ってよう、バチ当たるぞ」

辰夫は路上を駆け回って、札を拾い集めた。ついでにガードレールのきわに靴の踵を見つけた。

「ねえさん、ねえさん」

酔いは醒めてしまった。千鳥足で歩いてきたものが、札束を胸に抱いてまっすぐに女のあとを追った。

「待てって。これ、どうすんだよ」

ハンドバッグとハイヒールを提げて歩く女に、辰夫はようやく追いついた。女は答えない。前に回りこんで、まるで花束でもつき出すように、辰夫は両手の札束を向けた。

「何があったか知らねえけどよ。金にゃ名前が書いてあるわけじゃねえんだぜ。ほっぽらかしはねえだろ」

女は辰夫の脇をすり抜けた。

「いらない。あんたにあげるわ」

香水の匂いが鼻をついて、辰夫は一瞬めまいを感じた。そこいらのキャバレーの安香水とはちがう。

「俺、おもらいじゃねえよ。交番に行くのなんかいやだし。それに、裸足じゃ危ねえよ」

あいたっ、と小さく叫んで、辰夫の忠告するそばから女は立ち止まった。

「ほらみろ。銀座じゃねえんだからさ。ここいらはダンプが通るから、ガラスとか釘とかよ、いっぱい落ちてるんだ」

女は汀《みぎわ》の鶴のように片足立って、国道の左右を見た。

「タクシーなんか、来ねえよ。一晩じゅう待ったって。どうすんだよォ、ねえさん」

女は舌打ちをして、興奮のさめやらぬ顔を初めて辰夫に向けた。見知らぬ中年男の情けない顔を見つめるうちに、女の気丈な表情も翳《かげ》った。

「どうするって……どうしよう。ここ、どこ？」

車の往来がとぎれると、女の顔は月光に洗われた。何て小さな、まっしろな顔なのだろうと辰夫は思った。

「千葉の、姉ヶ浜だよ。どこだかもわからないで、どうすんだよォ、ねえさん」

「そんなとこ、知らない。姉ヶ浜って、海の近くなの？」

「ええと、昔は近かったけど、今は遠いんだ」

「なによ、それ」

「そんなこと、どうだっていいじゃねえか。それよりかねえさん、どうすんだ。ともかくこの金、なんとかしてくれ」

女は溜息をつきながら、ハンドバッグの口金を開いて辰夫に向けた。バッグから立ち昇る女の匂いが酔い醒めの胸を穿《うが》った。

「変な人。あげるって言ってるのに」

「だからァ、それじゃおもらいだろうって。銭ってのは汗水流していただくもんで、くれるからもらうってもんじゃねえだろ——それにしても、ひでえ野郎だな。女たたいて、銭ぶん投げて、頭ひえたら電話しろだァ？　やめとけよ、ねえさん。あんなもん、ろくな男じゃねえぞ」

女はふしぎそうな顔をした。紅い唇を少し開けて大きな瞳を見開き、まるで未知の獣でも見るように、しばらく辰夫を見つめた。

「そんなの、言われなくたってわかってるわ。あなた、見てたの？」

「見てたって、好きこのんで見てたわけじゃねえよ」

「だったら、助けてくれりゃよかったのに。あんなやつ、ボコボコにしてくれればよかったのに」

吐き棄てるように言いながら、女の瞳がみるみる潤んだ。どうしよう。立ち去ることもできず、慰めの言葉も思いつかず、辰夫は棒のようにつっ立ったまま、女の頰に涙の伝うさまを見ていた。

「足、大丈夫か。あれれ、顔も腫れてきた。冷やさねえと、青タンになっちまうぞ」

女がどこの誰で、どうして自分の前にいるのか、そんなことはどうでもよかった。何とかしてやらなくてはと、辰夫は思った。

「あのさ、ねえさん。俺、四十三《しじゅうさん》の辰です」

いったい何を言っているのだろうと我ながら怪しむそばから、辰夫は懸命に言葉を並べていた。

「だからさ、ねえさんとはたぶん十五も二十もちがうしね、それに俺、そこのコンビナートの荷役だし、つまりその、変な気持なんてぜんぜんねえからよ」

本心だった。どうすればこの気の毒な女を家まで連れて行って、怪我の手当をしてやれるのだろうと、辰夫はそればかり考えていた。

「チョンガーだけど、女に不自由してるわけでもねえし。それよりか、ここいらは埋立地だから土が悪くって、破傷風があるんだ。本当だよ、嘘じゃねえよ。消毒して顔ひやしたら、電話で車呼ぶから。悪いこと言わねえ、ほら」

辰夫は言うことだけ言うと、くるりと背を向けて屈んだ。

「じきそこなんだ。チョンガーだから誰にも気をつかわなくていいし。ほら、おぶってってやる」

肩ごしに振り返った。女はじっと辰夫の背中を見つめたまま立ちすくんでいた。

十五夜の満月が、射すくめるほどの真上に輝いていた。

「ほれ、遠慮するなって」

やがて女は、ためらいがちに身をまかせた。辰夫は月あかりの国道を歩き始めた。

「ねえさん、軽いな。四十五キロ」

「どうしてわかるの？」

「俺、三十年も工場の荷役やってっから。世間のことは何も知らねえけど、物の大きさとめかたとは、ぴったりわかるんだ」

「ふうん。じゃあ、身長」

「身長かあ？――そうだな、三号パッキンの四個積みだな。だとすると、ぴったり百六十センチ」

「あたり。すごい――ほかのサイズは、わかるの？」

冗談にはちがいないが、胸がときめいた。辰夫は尻を支えていた掌を思わず拳に握り、柔らかな乳房を拒むように、ぴんと背を伸ばした。

「そんなの、わかんねえよ」

「物の大きさはわかるって言ったじゃない」

「丸いのとか、柔らかいのはわかんねえんだ。俺、段ボールのパッキンしか知らねえから――あんまり顔くっつけるなよ。汗くせえだろ」

「くさい。でも、あいつのオーデコロンよりはまし」

女はきっぱりとそう言った。嬉しくなって、辰夫は足を早めた。

何てめでてえ晩なんだろう。うめえ酒を飲んだうえに、こんなきれいな女を背負って歩けるなんて、夢でも見てるみてえだ――。

工場でこんな話をしたって、誰も信じてくれやしねえだろうと、辰夫はこぼれる笑いを嚙みしめながら歩いた。

きょうばかりは、松林の向こうの家がもっと遠ければいい。

3

「そ、それでタッつぁん。おめえ、やることやったんか」

根本班長が禿げ上がった額の脂汗を拭いながら訊いた。話が佳境に入るほどに、初めは笑って聞き流していた若い連中まで、辰夫の周囲に集まってきた。

「やることって？」

「そりゃあおめえ、男と女とがひとつ屋根の下に寝てだな、やることって言やあほかにはあるめえ」

「オメコヨ、タツサン」

いきなり達者な日本語で、髭面のアブラハムが言った。辰夫の膝元にぺたりと座った陽気な外国人の頭を、若者たちが叩いた。

「まあ、な……」

答えあぐねたとっさのひとことに、人々はおおっと声を上げた。嘘は苦手だが、とかくこういう話題は不器用な方がかえって真実味がある。

辰夫は休憩所の時計を見上げた。午後のサイレンまでにはまだ間がある。

「で、どうだった。そのリエって女」

「どうって――何で俺がそんなことまでみんなに話さにゃなんねえの」

そりゃねえだろタツさん、と若者たちが不平を言った。

「いや、タツ。そうじゃねえぞ。こいつらはどうか知らんが、少なくとも俺は三十年来の友人としてだな、おめえの幸福を心から願ってるんだ。さ、話せ」

「そうかあ――」

いつの間にか大学出の監督までが、齢に似合わぬひねた顔を輪の中に並べていた。

「まず風呂を沸かしてよ。一緒にへえって――」

「イ、イッショニ！　タツサントリエサン、イッショニ、フロ！」

うるせえ黙れ、と班長はアブラハムを怒鳴りつけた。

「おめえ、いきなり風呂はねえだろう」

「いやね、俺は酔っ払ってたし、あっちもけっこう飲んでたから。はなからそのつもりだあな。そんで、体を洗ってやって、ケガした足の裏なんか特にていねいに……」

座はしんと静まり返った。人々の緊迫した表情が、辰夫を勇気づけた。

「まあ何てったって、あっちは二十七の女盛り、もう止まらねえ。こう、まっしろな、せとものみてえな体をくねらせて、あたしガマンできないって言うんだ。まあまあ、そうせっつくな、夜は長え。イヤイヤ、ここでごあいさつ、ってえわけで、まずは茶臼で一発」

わあっ、と若者が茶色に染めた髪をかきむしって吠えた。

「俺、きのう早まったよなァ。タツさんちに泊まろうって思ってたのによォ。説教くせえから途中でフケちまった」

「ざまみろ。だから人の説教は有難く聴くもんだ――ええと、それから蒲団にへえって よ。銀座のきれいどころって言ったって、栄町のソープで三十年も鍛え上げた俺にとっちゃ、ものの数にも入らねえ。青っちろい社用族やベンツに乗ってるやつらとは、鍛え方がちがわあ」

班長はわがことのように嬉々として拍手を送った。

「でかした、タツ。それで、どうした。イッたか」

「おお。いった、いった。しめえにゃ白目ひんむいて失神したぜ。ようやっと我に返って、しんみりと言ったことが泣かせるじゃねえか。ぜんぜんちがうわ。あたし、どうかなっちゃった、だってよォ！」

休憩所は割れんばかりの喝采に沸いた。折よく作業開始のサイレンが鳴った。ナッパ服の蟻ン子たちは一幕を見おえたように得心して、どやどやとターミナルに出て行った。スレート屋根の切れ間に、秋空がまばゆい。

「第六工場作業開始。コンベア始動。ゲートナンバー、214、十トン車、一番ホーム。ゲートナンバー、215、四・五トン車、二番ホーム……」

若い監督の垢抜けぬ声が、プラットホームに谺《こだま》した。

安全帽を冠り、鋲を打った腰ベルトを巻きながら休憩所を出ると、根本班長が追ってきた。

「なあ、タッつぁん。で、その女、どうするんだ」

「どうするって？」

「いやさ、千載一遇のチャンスってやつだろ。おめえもいいかげんここらで身を固めておかねえと――」

辰夫の肩を引き止めるようにして歩きながら、根本は口ごもった。

噂は本当なのだろう。コンピューター制御の搬出ラインが第三工場までしか完成していないのは、労組の猛反撥があったからだ。景気が長いことくすぶって、しかも労働力の半分を外国人に頼るしかなくなった今日では、四工、五工、六工の人力ラインがオートメーション化されるのは時間の問題だ。

つまり、来たるべき人員整理に備えて、何とか所帯を持っておけと根本は言っているにちがいない。

若い監督と蟻ン子とのきのうの揉めごとも、ことの発端はそれだった。昼休みの雑談の最中に監督が、「こんな時代遅れの工場はほかにない」と言ったのだ。果ては人間と機械はどちらが秀れているかという論争になり、業を煮やした若者が監督を殴ったのだった。

「ネモさん。ほんとのこと言うとな」

と、辰夫は立ち止まって、コンベアの蔭に根本を誘った。

「さっきの話、嘘なんだ」

「え？……何だよ、それ」

「ぜんぶ作り話ってわけじゃねえよ。半分は本当だ。橋からうちまでしょって帰って、風呂で足洗ってやって、消毒してやった。おふくろの蒲団で寝てったけど、何もしちゃいねえよ」

「へ。寝てったっておめえ、そのまんま帰しちまったんか」

「いつまでもいるわけねえじゃんか。夜中にタクシー呼ぶのも面倒だしよ。よかったら寝てけって言ったら、そうするって。気味悪そうに、なんでお骨が置いてあるのォ。墓が買えねえんだよォ。あっそう、おやすみなさい。はい、おやすみ――朝、出てくるときも気持よさそうにクウクウ寝てたっけ」

「なんだよそれ……まあ、おめえらしいっていやあそうだが……おい、タッつぁん。ならまだ脈はあるぞ。早退しろ。帰ってやっちめえ」

腕時計を見ながら、根本は真顔で言った。

「もういるわけねえって。あんなベッピンが、用もねえところにいつまでもいるもんか。

ま、宿代でも置いてってくれてりゃ助かる」

「ああ、もったいねえ……せめてそこいらの飲み屋のねえちゃんだったらなあ」

「うん。それはゆんべ俺も考えた。姉ヶ浜の飲み屋のねえちゃんなら、言われなくたって茶臼だ」

ひとしきり笑ってから、根本は若い蟻ン子の時分と少しも変わらぬなつっこい言い方をした。

「なあ、タッつぁんよォ。おめえはいいやつだなあ。いつだって俺をかばってくれてよォ。富さんも純公も、古い連中はみんなおめえのことを心配してるんだぜ。おめえはいつも、上には媚びずへつらわず、俺たちゃ若い者を守ってくれた。そりゃ、多少はノロマだよ。融通はきかねえよ。だがおめえがいなけりゃ、六工はとっくにどうかなってらあ」

「ふん。こんなもん、どうなるって、どうにもなるもんか。ばっかくせえ、さ、仕事仕事」

根本は立ち上がろうとする辰夫の、ナッパ服のぶ厚い胸を摑んだ。いちど休憩所を見返り、切実な声をしぼる。

「いいか、ここだけの話だ。来年の三月いっぺえで六工のラインを閉鎖する。外人は全員解雇、若い者は川崎と木更津に配転だ」

「……ほんとかよ、それ」

辰夫は固唾《かたず》を呑んだ。

「こんなこと、冗談で言えっか。導入される新式の搬出ラインはよ、二交替の三人でいいんだ。ボタンを押すだけ、たったの三人だぜ。とするとだな、まず俺と富さんはしょうがねえよ、等給から言っても」

「俺、守衛でも食堂の賄いでもいいよ。ほっぽり出されたら食ってけねえ」

「だからよ、そういうのもみんな狭き門なんだ。四工にも五工にも、似たようなのがいっぺえいるから。高度成長のころにわいわい雇ったんだから仕方ねえだろ。俺が推薦できるのは、六工のあと一人分しかねえんだ。な、タッ。何とか所帯持て。おふくろがいるうちはそれでも推せるべえってタカをくってたんだけど、身ひとつになっちまったんじゃおめえ、推薦する条件が何もねえんだよ。嫁だ、嫁。生き残る道はそれしかねえんだぞ」

「そんな……ネモさんよぉ、へいわかりやしたって言えるぐれえなら、とっくに嫁さん貰ってるよ。俺だって何も好きこのんでこの齢まで……」

「だから、努力しろって。銀座のねえちゃんとは言わねえ、どこのババアでも、外人でもいいから」

監督が真新しい作業着に安全帽を冠って、休憩所から出てきた。舌打ちをして、根本は呟《つぶや》いた。

「タッつぁん。おめえ、どうして嘘なんかついた」

考えていた通りのことを、辰夫は素直に言った。

「きのうのきょうで、雲行きが怪しいじゃねえか。昼休みに話を蒸し返させねえためにゃ、それがてっとり早えだろ。な、見てみろ、若い者にゃエロ話が一番だ」

監督は辰夫に微笑みかけながら、「佐藤さん、仕事仕事。一夜の夢は、忘れようね」と言った。

4

ここ、どこだっけ――。

快いまどろみの中で、リエは考えた。

目覚めが悪いのは生れつきで、男より先に起き出すことは、まずない。誰ともうまくいかない原因は、こんなところにもあるのだろうと思う。

ゆうべ、男と別れた。そのあと何があって、どうして自分がこの黴臭《かび》い蒲団の中にいるのかは思い出せない。ともかく、丸二年つき合った恋人と別れたことは確かだった。

悪いのは自分だと思う。さんざすったもんだしたあげく、松岡はあれほど頑《かたく》なに守ろうとした家庭を捨ててくれた。

そのとたん、腰が引けたのだ。

きのう、新しいマンションの間取りと離婚届を見せられた。この人の妻として、この部屋で暮らし始めるのだと思ったとたん、頭からすうっと熱が引いていった。そんなつもりじゃないわ、と言った。松岡は幽霊でも見たように青ざめた。どういう意味だ、と松岡は訊いた。

私、大事なものを簡単に捨てちゃうような人、信じられない。ぜんぶ元に戻してよ。奥さんにあやまって、私とはもう会わないでよ。

なんて勝手な女だろうと思う。でも、喜ぶよりも、すっかり怖気づいてしまったのだ。それもこれも、二年の間に松岡の人となりを知りつくしてしまったからだ。大工の見習から叩き上げた根っからの苦労人で、銀座のにわか紳士たちとは見てくれこそ同じでも、中味がちがう。生れて初めての道楽だったのだと思う。

付き合い始めたころは虚勢を張っていた。さんざありもせぬ武勇伝を聞かされた。そのつもりでわがままを言ったのがいけなかった。

何ヵ月か付き合って、やっと不器用な愛の言葉を聞いたとき、気付くべきだったのだ。あのとき松岡はまるで奥歯に石を嚙むような顔で、愛している、と呟いた。辛い言葉だったのだろう。

野卑な男だとは思う。すぐにカッとするし、高笑いをするし、スープは音を立てて飲む。口で言うほどに女の歓ばせ方は知らない。ベンツのエンブレムを、これ見よがしの金色に塗っていた。携帯電話に大声で答えながら、銀座の目抜きを歩いた。

いちど、ひどく酔った松岡を、世田谷の自宅の前まで送ったことがある。お風呂屋さんのような家だった。すごいわね、となかばあきれて言うと、そのうち金のシャチホコを乗せるんだと真顔で答えたものだ。

あの家も捨てる決心をしたのだろう。

リエの裏切りを、松岡は信じようとしなかった。店が引けたあと、部屋に寄ることを拒まれた松岡は、果てしもなく車を走らせながら説得をした。不器用なりに懸命な、涙ぐましい説得だった。

リエは何ひとつ答えようとはしなかった。理屈に合う答えは見つからなかったのだ。ただ、もうこの人を愛してはいないのだと自分に言いきかせた。そうしてずっと、高速道路の上にかかるお月様を見ていた。

どこまで走ったのだろう。コンビナートの光がクリスマス・ツリーのように並ぶ、遠い場所だった。

時計を見た。夜中の十二時半。

リエのしぐさに気付いて、松岡は溜息をついた。おまえの欲しがるものは、何でも買ってやった。時計も買ってやった、指輪も買ってやった。とうとう一番欲しがっていたものまで用意したのにな。

言葉に悪意はなかったと思う。ただ、何でも金銭にたとえることしか知らぬ男を、しんそこ卑しいと思った。

返すわ。誰かにあげてよ。

初めて一夜を共にした翌日、松岡が買ってくれたコルムの時計だった。

はずそうとする手を握りしめて、松岡は車を止めた。泥河の上にかかる橋の上だった。

ドアを開けると、工場の排気とメタンとの混ざり合った、饐《す》えた匂いが鼻をついた。

ひどいことを言ったと思う。人でなし。守銭奴。成金。なんだってお金でいいようにしようとしたって、誰かさんはどうか知らないけど、私はそんなんじゃないわ。

口が、勝手に動いた。

心からそんなふうに考えていたわけではなかった。松岡の愚直さがたまらなかった。殴られたことも、札束を投げつけられたことも、リエにはわかりすぎるほどよくわかった。そんなことしか、松岡には思いつかなかったのだと思う。

　それから——

　少しずつ頭が冴えてきて、リエは汚れた天井から視線をすべらせた。トイレの匂いのする、散らかった部屋。歪んだ木枠のガラス戸の外に、晴れ上がった秋空が眩しい。

　起き上がると、額から氷枕が滑り落ちた。まだ溶けてはいない。それを額にのせてくれた男の、やさしい息づかいをリエは思い出した。

　乾き切ったシャツとブリーフとがハンガーに吊るされて、カーテンレールに並んでいる。あとは小さなテレビと、風船のように膨らんだファッション・ケース。茶簞笥の上に、なぜか骨箱と位牌。

隣家との間は、いっぱいに花をつけた金木犀の垣根だった。アパートではない。きのう、たくましい男の背に担がれて、この家にやってきた。そのときも闇の中に、甘い金木犀が匂っていた。

ビールを飲んで愚痴を言った。迎え酒がひどく回った。

抱いてよ、おにいさん、と言った記憶がある。だが、そういうことはなかったと思う。

右足に包帯が巻かれていた。

そうだ――男はリエを風呂場に連れて行って、傷口を洗ってくれた。消毒をし、包帯を巻き、その間ずっと男は気持をはぐらかすように、童謡を唄っていた。

静かな静かな里の秋。おせどに木の実の落ちる夜は。

自分も一緒に唄ううち、妙な欲望は消えてしまった。

ああかあさんとただ二人。栗の実煮てますいろりばた。

おふくろの蒲団だからくさくねえよ、と男は言った。

先々月にくたばっちまってよ。墓が買えねえから、お骨もほっぽらかしだ。気味悪けりゃ、こっちの部屋に持ってこようか。

いいよ、べつにこわくない。

灯を消してから、しばらく襖ごしに話をした。お月様がきれいだった。何だかまっさおな水の底に横たわっているような気分だった。

先祖代々の墓ってのが、近くにあるにはあるんだがな。おふくろが俺を連れて家を出ちまったから、そこはもう縁が切れてるんだ。親戚づきあいもねえし、気楽でいいんだけど、くたばっちまったあとの墓のことまで気が回らなかった。俺、それほどだらしねえわけじゃねえんだよ。安給料だし、おふくろ、長患いだったから。いちおう役場には相談に行ったんだがな。働き盛りの男が何を言ってるんですかって、逆に説教された。考えてみりゃ、あたりめえだ——くせえだろ、このうち。まだ汲み取りだから。

ちょっとね。

くさかったら、少し戸を開けるといい。すまねえなあ。ああ、情けねえ。

何が情けなかったのだろう。枕元の戸を少し開けると、金木犀の甘い香りが流れこんだ。

時計をはずして、掌に握りしめた。

すると、枷《かせ》を解かれたように、体じゅうから力が抜けた。

男は仕事に出掛けたのだろうか。たしか、コンビナートで働いていると言っていた。

襖を開ける。万年床と週刊誌の山。足の踏み場もない散らかりようだ。

ちゃぶ台の上に菓子パンと牛乳が置いてあり、広告の裏にカタカナの書き置きがあった。——オハヨウゴザイマス。カギハカケナクテイイデス。

電話番号が書かれていた。男の連絡先かもしれない。

しかし受話器をとってボタンを押すと、タクシー会社だった。車は頼まずに、リエは散らかった部屋の掃除を始めた。

上りかまちに古新聞を敷いて、ハイヒールが揃えてあった。壊れた踵が、接着剤で止められていた。

自分は何をしているのだろうとリエは思った。

ご恩返し？――いや、ちがう。床を拭きながら、愛した男たちの顔がひとつひとつ思いうかんだ。みんなが愛してくれた。だが自分は、何ひとつとして彼らの愛に応えたことはなかった。男の部屋を掃除するのは、初めての経験だった。

すっかり掃き清めても、匂いだけはどうしようもない。嗅ぎなれぬ汲み取り便所の匂い。金木犀の甘い香りも、鼻についてしまった。

流しを洗いながら、急に気持が悪くなった。二日酔で吐いたことはない。

塩辛い胃液を吐きつくしたとき、リエは思い当たって青ざめた。

松岡に頼りたくはなかった。

5

「したっけよォ、タッつぁん。返すがえすももったいねえ話だよなあ。連絡先とか、聞いとかなかったんか」

通称「蟻ン子横町」のカウンターで飲み始めてから、根本はそのことばかりをくり返した。

「だからさあ、そんなんじゃねえってば。考えてもみろって、蟻ン子横町のとうのたったババアならまだしも、相手は銀座のきれいどころだぜ。姉ヶ浜銀座じゃねえぞ。銀座の恋の物語の銀座だぞ。中ノ橋の上でよ、ベンツ蹴っ飛ばして悪態ついたほどの女だ。泊まってくれただけだって有難え。おふくろも草葉の蔭でさぞ喜んでることだろうぜ」

長いなじみの女将が、正体不明の煮込みを出しながら言った。

「とうのたったババアだって、あんたなんか願い下げだよ――ネモさんも、もうたいがいにしなって。この飲んだくれに、今さら女なんてできるはずないじゃないか」

たしかにその通りだと思う。多少なりともまじめに考えていたのは、せいぜい三十なかばまでで、四十の声を聞いてからは願望するどころか想像もしなくなった。

「もうダメ。ぜったいムリ。おばちゃん保証する。おっかさんの生きてたころは酒にも歯止めがきいたけど、ここんとこズブズブだもんね」

「ふん。そのズブズブの酔っ払いに食わしてもらってるのは、どこのどいつだ」

こら、と女将は菜箸で辰夫の頭を叩いた。

「冗談じゃないんだよ、タッちゃん。あたしゃあんたらの子供の時分からここで店張ってるんだ。蟻ン子横町じゃなくって、大漁横町のころから」

「それでつまり、俺みてえなズブズブの蟻ン子を大勢見てきた、ってわけだな。はいはい、お説ごもっともでございます」

「そりゃあこの通り、あんたらに食わせてもらってますよ。だけど、それとこれとは別だよ。いいかい、タツ。親でも女房子供でも、待ってる者のいるやつは大丈夫なんだ。どんな飲んだくれだって、定年まではちゃんと勤める。問題はね、四十すぎのやもめ。酒は多くなる、時間は長くなる、物は食わなくなる。あげくの果ては肝臓ぶっこわしてあの世行きか、丈夫なやつはアル中さ。まだ仕事はちゃんとやってるんだろうね」

「そりゃあ、平気だ。タッつぁんは仕事だけは律義だから」

と、根本がかばった。

「ともかくさあ、タッちゃん。この際、結婚相談所にでも行ってだね、ちょっと真剣に探してみなって。えり好みなんかするんじゃないよ。再婚だって子持ちだって、化物だっていいじゃないか」

「俺、化物はいやだ」

蟻ン子たちはいっせいに笑った。カウンターの端で、老いた蟻ン子が言った。

「タッつぁん、それを言うんならよ。ゆんべのリエちゃんての、それこそ化物じゃねえんかい」

男たちは手を叩いて笑った。店は蟻ン子横町の飲み屋の中でも、古株の荷役ばかりが集まる。所帯持ちもやもめもいるが、どの顔も等しく老いていた。

「富さんまで、ゆうべのこと何で知ってんだよォ」

「けっ。知るも知らねえもよ、もう湾岸コンビナートで知らねえ者はいねえ。六工のタツが銀座のホステス拾って、やっちまっただァ？　おめえのこったから嘘じゃねえよなァ。だとすると――」

「バケモノ」

と、別の蟻ン子が低い声で言った。

「そうよ……それしか考えられねえ。だってよ、何で銀座のねえちゃんが姉ヶ浜にいるの。何でおめえんちに行って、おめえに抱かれなきゃなんねえの。こえーっ！」

辰夫はみんなと一緒に笑った。生来が怒るということを知らない。情けねえ性格だとは思うが、だからこそこいつらと仲良くやってこられたのだとも思う。

「したっけよォ、いい女だったよなあ……」

タバコを吹かしながら、辰夫はしみじみと言った。ふうん、と笑いもせずに蟻ン子たちは溜息をついた。

「ふむふむ。そいつァ酒の肴になるべい。どういい女だったんだ。あ？」

照れ臭い気もするが、辰夫はリエのことを話したくて仕方がなかった。

「そうさな。まず身長はよ、三号パッキンの四個積みだ」

うしろの席でアブラハムが答えた。

「テエコトハ、一メーター六十」

「なんだアブ、いたんか。珍しくおとなしいな」

「ソンデ、タッサン。ウエイトハ？」

「おお、よくぞ聞いてくれた。そいつは九号パッキン五個分よりやや軽め、ま、四十五キロってえとこだな」

「ヘエ……ナンデワカルノヨ」

「おめえみてえな駆け出しの蟻ン子にゃわかるめえ。なあ、みんな」

年かさの荷役たちは唸るように肯《うなず》いた。根本が振り向いて言った。

「その昔、出荷センターで搬出してたころにはよ、まだ車の台貫《だいかん》がなくって、積み込むときにいちいちパッキンの検量をしてたんだ。それもよ、笑っちゃうじゃないの、てめえの体重を申告しておいて、パッキン抱えたまま検量台に乗るんさ。それが一番てっとり早いってんで——なあ、タツ。おめえそれでわかるんだろ」

「さすがは班長だな。なにせ九号パッキンの五個ってのはよ、蟻ン子の抱えて歩く限界だったからな。それもよ、腰ベルトをこう、ゆるめに巻いてよ、ヘルメットをあみだに冠って、デコッパチで支えて持ち上げるんさ。そのまんま検量台に乗っかって、佐藤辰夫、体重六十キロ、九号五個、って申告するんだ。青ランプがついたら、そんまんま車に運びこむ」

「へえ、六十キロかあ。そういやアタッつぁんにも、そんなスマートなころがあったんだなあ」

辰夫のつき出た腹を眺めながら、根本はしみじみと言った。

「さ、話にオチがついたところで、看板だよ」

老いた蟻ン子たちはいっせいに立ち上がった。ここでは町の飲み屋のようにぐずぐずとねばる客はいない。女将の号令は工場のサイレンと同じだった。

暖簾をくぐった蟻ン子たちは、行列を作って路地から出る。国道の向こう岸には、華やかなランプをぎっしりと灯したコンビナートが並んでいる。蟻ン子たちにとっての作業終了は、工場のゲートをくぐったときではなく、したたかに酔って横町から国道に出たその瞬間なのだった。

辰夫と根本はナッパ服の肩を並べて、海の匂いのする国道を歩いた。

「や、タッつぁん。あした休みじゃねえのか」

「べつに愕《おどろ》くことじゃあんめえ。しかし何だな、週休二日ってのも考えもんだ。週に二日もゴロゴロしながら酒くらってたんじゃ、金も持たねえ、身も持たねえ」

「おめえはまだいいよ、独りもんだから。俺なんか二間にガキが三人、ゴロゴロして酒飲むことだってできやしねえんだぞ」

「へえ。で、何してんの」

「釣り。朝っぱらからおん出されてよ、埠頭まで自転車こいで」

「情けねえ話だなァ。漁師の倅が家おん出されて釣りかよォ」

「何たって銭のかからねえ道楽だかんな。蟻ン子のヒマつぶしにゃもってこいだ」

根本は笑いながら、禿げ上がった赤ら顔を高炉の炎に向けた。老けたな、と辰夫は思った。高卒の根本は自分より三つ年上ということになるが、老け具合にはたいしたちがいはあるまい。

ふと、妙なことを考えた。ゆんべ中ノ橋の上でリエを張り倒した男は、いったいいくつなのだろう。ごっついベンツに乗って銀座に通っているくらいなのだからきっと大金持ちの社長で、だとするとどう考えたって自分より若いということはあるまい。

「やっぱ、齢のせいじゃねえんだよなァ」

体のしぼむほどの空気を吐きながら、辰夫は独りごちた。

「何がよ」

「いやな。ゆんべ俺、あいつと俺とじゃ齢が十五も二十もちがうからよ、もう男と女じゃねえって、はなっから思ったんだよ。けど、そうじゃあねえよなァ」

「あったりめえだろ。俺たちだって銭さえありゃよ、まだまだ女の一人や二人」

中ノ橋まで来た。運河の川上に社宅の灯が見えた。分れ道に立ち止まって、根本はうんざりと四階建ての古アパートに目を向けた。

「ネモさん。うちで一杯やってかねえか」

「へえ。そいつァ悪くねえけど――」

「おふくろならもういねえよ」

「あ、そうか。そうだったな。そんじゃ呼ばれっか」

「酒はあるけど、つまみは何もねえぞ。それに、ブッちらかってる」

「かまわねえよォ。いくらブッちらかってたって、俺んちよりはマシだろ」

生酔いの体に夜風が冷たい。ナッパ服の肩を慄わせて、今年は秋が早えと辰夫は思った。

6

一年中ぬかるんでいるか埃っぽいか、ともかくひどく不健康な曠《あ》れ野のただなかに、マッチ箱を並べたような借家の一群がある。

もともとは地元の農家が、大根や南瓜を作るよりはよかろうと建てた家作なのだが、老朽化するほどに家賃は上げられず、家賃が安いから住人は誰も出て行かないという悪循環で、その一角だけが周辺の開発から取り残されてしまった。倅の代になった大家は、これじゃ固定資産税にもならねえ、まるでボランティアだと顔を合わせるたびに嘆くが、そんな悩みは住人たちの知ったことではない。

とりあえず死に絶えた家から壊すほかはないのだが、それにしたってタッつぁんは俺より若えからな、と大家は泣きを入れる。

国道を山側に折れ、防砂林のなごりの松林を抜けると、辰夫の家だ。

松林の木下闇《こしたやみ》で、根本はふいに立ち止まった。

「何だよ、ネモさん。気分でも悪いんか」

「いや、そうじゃねえ――」

根本は瞼を閉じた。酔った体が揺れている。

「どうしたんだよォ」

「やっぱそうだな……タツ、おめえも目ェつむってみろ。海鳴りが聴こえる」

言われるままに目を閉じた。低く、かすかに、潮騒が聴こえた。

「車の音じゃねえな。炉の音か、モーターの音じゃねえんか」

「ちがう。海鳴りだ。そんなことおめえならわかるだろう」

浜風の吹く夜更け、遥かな埋立地を越えて海の音が届く。子供のころ、寝枕に聴いた海鳴りにちがいなかった。

「気のせいだよォ、ネモさん。何キロも先におっぺされてよ、コンクリで囲まれちまった海が、どうして鳴るの。モーターの音だって」

自分がそれを頑なに信じようとしないのはなぜだろう。喪われてしまった海の呟きなど、聴きたくはない。それは高炉の吹き上げる炎の音か、どこかの工場のモーター音だと思いこむようにしている。

「モーターだってよ、ネモさん。海鳴りだなんて、なにロマンチックなこと言ってんだ。齢くって、やきが回っちまったか」

「そうかァ……ま、どっちだっていいけんどよ、そんなことァ」

二人は目覚めたように夜道を歩き出した。

金木犀の匂う垣根のきわまで来て、二人はぎょっと立ち止まった。

「あれ。電気消し忘れたか」

「そうじゃねえよ、タッつぁん。まいったな、こいつァ大変なことになった」

垣根のすきまに目を凝らす。縁側の歪んだガラス戸に人影が映っていた。

「ネモさん……まさかとは思うけんど、おふくろじゃねえよなあ」

「……おめえってやつは……何だってもうちょっと物事を素直に考えられねえんだ」

「素直って？」

「おふくろが化けて出るってよりは、もう少しまともな考え方があるだろうが——ともかく、俺は帰る。じゃあなタツ、頑張れ」

「おいネモさん。何だよ、そりゃねえだろう。おっかねえよ」

根本は早足で行ってしまった。満月がガラス戸を舐めて、人影の正体は定まらない。

おふくろだったらどうしようと、辰夫は真剣に悩んだ。

木戸を開け、足音を忍ばせて玄関に回る。軒灯の下が妙に片付いている。夏の間、萌えるにまかせていた雑草も、きれいに摘まれている。やっぱりおふくろだと、辰夫は思った。

墓も買ってやれねえし、毎日毎日、酒ばっかくらって、家もブッちらかったまんまだから、おふくろが心配してあの世から戻ってきたんだ。

怖くはなかった。俺は何て親不孝なんだと思うと、辰夫は軒灯の丸い輪の中で、引戸を開けることもできずに俯いた。

「おかあちゃん。ごめんな」

辰夫は声に出して詫びた。香典の残りでサラ金の枠は少し埋めてあるから、めいっぱい借りて墓の頭金にしよう。それでだめだったら、組合に相談してみようと辰夫は思った。

「したっけ、おかあちゃん。俺、工場の厄介者だからよ。組合とか厚生課とかに、面倒かけたくねえんだよ。ずぼらしておかあちゃんのことおっぽらかしてあるわけじゃねえんだ。俺、蟻ン子だからさ」

葬式のときも泣かなかったのに、何で今さら涙が出るんだろうと、辰夫は思った。

いきなりたてつけの悪い戸が開かれた。さっぱりと整頓された上りかまちに立ったのは——母ではない。

「おかえりなさい。なにブツブツ言ってるの」

タオルを襟元から引き抜いて顔を拭った。ゆんべの、女だ。

長い髪をうなじでくくり、月あかりを真向から浴びた素顔の美しさに、辰夫は息を止めて後ずさった。

「何やってんだよ、ねえさん。こんなところで、いつまでも何やってんだよ」

ふん、と女は紅のない唇をひしゃげて、意地悪い笑い方をした。

「人に掃除させといて、何やってたはないんじゃない。ありがとうのひとつも言ったらどう」

ありがとう、と辰夫は蚊の鳴くような声で言った。そんな言葉は生れて初めて口にした。

「お酒、もらったわよォ」

女は磨き上げられた廊下を、壁伝いに戻っていった。

「かまわねえよ。きれいにしてもらった日当だ」

作業靴の紐を解きながら、辰夫の胸は轟いた。急に酔いが回ったのかと思ったが、そうではない。ゆんべは何ともなかったのに、きょうはいってえどうしちまったんだろうと、辰夫は胸をおさえて深呼吸をした。

「トイレだけはどうしようもないわよねえ。今どき汲み取りなんて、信じらんない」

二間つづきの六畳は、おふくろが生きていたころと同じように片付けられていた。ピカピカのガラス戸に、コンビナートの光が眩しい。

女は奥の座敷に横ずわって、コップ酒を飲んでいた。

「そんなこと言ったって、ここいらは下水もありゃしねえんだから——ああ、ああ、一升あいちまうじゃねえか。たいがいにして、さ、タクシー呼んでやるから」

「タクシーに乗って、どこ行けって言うのよ」

「そんなの知らねえよ」

言ってしまってから、辰夫は思い当たって唇を噛んだ。男とごたごたして、家に帰れないのだろう。

「そうか、そうだったよな」

女は一升壜を抱えながら、辰夫を睨み上げた。

「なに勝手に納得してるのよ。あいつ、亭主じゃないよ。マンションの合鍵持ってるからさあ。ああ、やだやだ。また引越ししなくちゃ」

「また引越しって、ねえさん、毎度そんなにごたごたしてるんか」

「したくてしてるんじゃないわ。要するに惚れ上手の別れベタ」

「ふうん。ねえさんべっぴんだからな。つきまとわれるのは、無理もねえけど――何だか気の毒だな、そういうの」

「気の毒？　冗談じゃないわ。もういやだって言ってるのに、どいつもこいつも、未練がましいったらありゃしない」

「いやさ、男が気の毒なんじゃなくって、つきまとわれるねえさんがよ」

女はコップを置いて、きょとんと丸い目を向けた。

「私が、気の毒？――どうして」

「だって、そうだろ。ねえさんはすげえべっぴんなんだから、男を振るのは勝手じゃねえか。だのにつきまとわれて引越しばっかするのは、気の毒だよ」

へえ、と女は物珍しげに辰夫を見据えた。視線に耐えきれず、座敷を見渡した。母の骨箱が茶簞笥からおろされて、シーツをかけたみかん箱の上に置かれていた。

白と紫の小菊が、牛乳壜に生けられていた。

「すんません、どうも。花、買ってきてくれたですか」

「ううん。そこいらに咲いてたやつ——どうしちゃったのよ。急にかしこまっちゃって」

「はあ……実はその、笑わねえでくれますか」

「笑わない。言って」

「あの、うちのおふくろ。うわごとにも言ってたです。もう息が上がっちまうってときまで。タツはろくでなしだから、死んでも死にきれんって。酒くらうばっかでひとりじゃ何もできねえから、きっと骨もゴミに出しちまうだろって」

女はたまらずに声を立てて笑った。

「あら、ごめんなさい。それって、燃えるゴミかな、生ゴミかな」

「悪い冗談やめてよ……燃えちまったゴミ、だな。でも俺、ショックだったよな。いくらろくでなしの俺だって、親の骨を捨てたりゃしねえよ。墓には入れらんねえけど。ひでえ長患いでさあ。スカスカの、紙っぺらみてえな骨なんだ。見るか」

「いいわよ、そんなの」

胸がいっぱいになって、辰夫は深々と頭を垂れた。きのう一晩、リエが泊まっていってくれただけで、おふくろの供養になったと思っていた。きょうも一日、幸せな気分だった。みんなに面白がられたし、酒の肴にもなった。

それだけでも有難い話なのに、家を掃除してくれて、仏さんに花まで手向けてくれた。

「ありがとう、ございました。口で言うだけで、すんません。この通り」

畳に手をつくと、女は目をそむけて窓にかかる月を見た。

「きれいなお月さん。きのうが十五夜だから、きょうは十六夜《いざよい》ね」

「いざよい、って」

「むかし、おばあちゃんに聞いたんだけどね、十六夜の月は恥ずかしそうに、ゆっくり出てくるんだって」

「へえ……」

「お月見、しようか。おにいさん」

女は松林に向いたガラス戸を大きく開け放つと、立ち上がって部屋の灯りを消した。

7

——この人はいったい誰なんだろう。

月あかりの縁側で膝を抱えたまま、リエは考えた。

背負われてここまで来たときの、男の背中の感触が頬に残っていた。一歩ごとに筋肉がぎしぎしと軋んだ。そういう武骨な、いさぎよい男の体を、リエはかつて知らない。

「貧乏ゆすりやめてよ。イライラする」

はい、と男は膝の動きを止めた。ご返盃のコップ酒をためらいがちに啜りながら、男は群青《ぐんじょう》のなかぞらに輝く月を見上げた。

「ねえさん、変なこと聞いていいかな」

「なに？」

「きのうのあいつ、いくつなんだ」

「四十三、かな」

あれえ、と男は素頓狂な声を上げた。そう言えばきのう橋の上で、自分は四十三の辰だと言ったっけ。松岡も辰年だ。

少し考えこむふうをしてから、男はまた月を見上げた。

「もうひとつ、変なこと聞いていいか」

「はい、なあに」

「銀座って、どんなとこだ」

意味がわからずに、リエは男の横顔を見た。視線に気付いてちらりとリエの顔を見、すぐに空を向く。

「あの、俺ね。銀座って知らねえんだ」

「ほんとに？　すぐそこじゃないの」

「ねえさんやあいつにとっちゃすぐそこでも、俺からするとだね、ものすごく遠い感じがするんさ。ガキのころ、銀座っていうのは姉ヶ浜銀座のことだと思ってたから」

「おかしいね、それって」

「そんで、いっぺん親父が本物の銀座を見せてやるべって、連れてってくれたんだよ。

信じられっか、汽車で四時間もかかった」

「今はそんなにかからないわ。通勤圏じゃないの」

「だからよ、その毎日東京まで通ってるっていう人間が、俺にゃピンとこねえんだな。とても信じらんねえ」

「信じられない人間はあなたのほうよ。ほんとに子供のころ行ったきりなの？」

「ああ。そのときもな、人ごみにもまれて気持わるくなった。てんで憶えがねえ」

「嘘みたい。そんな人って、いるんだ」

男は恥じらうように俯いた。いったい何を言おうとしているのだろう。一生けんめいに言葉を探している。

「つまりその……俺、中学出てからずっと工場の荷役だろ。昔は設備が悪かったし、休みもろくすっぽ取れなかったから、仕事が終わるとクッタクタに疲れちまってさ。酒くらって寝るしかなかったんだ」

「お休みの日は、何してたの？」

「せいぜい千葉だな。それも給料日のあと、女買いに行くぐれえだ」

「女になんか不自由してないって言ったくせに」

男は少年のように唇を嚙んだ。

「ねえ、おにいさん。ひとつお願いしていいかな」

「いいけど、俺、何もできねえよ」

深い意味はなかった。これほど安全で無害な人間はいない。まるで空気のような男だとリエは思った。

「しばらく、ここに置いてもらえないかな」

また貧乏ゆすりが始まった。悪い癖だ。

「俺は、べつにかまわねえけど。でもそれよりか、マンションに帰って、あいつとはっきりさしたほうがいいんじゃねえの。仲直りするとか、きっぱり別れるとか」

その先の説明は難しかった。リエは膝の上で爪を噛みながら、少し考えた。

面倒な言い方をしても、この人にはわからない。下手な嘘はやめよう。

「あのねえ、おにいさん。わたし、あいつの赤ちゃんができちゃったみたいなの。それでね――」

あーあ、と男はリエの言葉を遮って、獣のように吠えた。秋虫が鳴きやんだ。

「だったらよお、仲直りするっかねえじゃねえの。なんだよ、しばらくここにって」

「ちょっと、話を聞いて。それでね、こっちのお医者さんで書類もらってくるから、それにハンコついて、手術するときだけ一緒に行ってもらいたいんだけど」

言い方が悪かっただろうか。聞きながら、男は膝の間に顔を埋めて、ちぢかまってしまった。

「それってつまり、俺にあいつのかわりをしろってことか」

「ま、そういうこと」

月あかりの中で、男の頑丈な肩が小刻みに慄え出した。

「おにいさん。どうしちゃったの？」

男は風のような裏声を上げて泣き始めた。

「ねえ、どうしたのよ。酔っ払ってんの？」

リエは男の肩に手を置いた。硬く引き締まった肉が唸りをたてて慄えていた。

溜息をついて、リエは時計を見た。十六夜の月がゆっくり動くというのは、どうやら本当らしい。

男は泣き濡れた目を上げた。

「いい時計だな、それ」

「いいでしょう。気に入ってるんだ」

「あいつに、貰ったんか」

「うん。初めて寝たときね、欲しいって言ったら、ほんとに買ってくれたの」

男は痛みをこらえるように、きつく目を閉じた。涙のあとが、銀色の粉をまぶしたようだ。

「何ていう時計なんだ」

「コルム。スイス製よ」

ふうっ、と男は体じゅうの息を抜いた。

「スイス製かあ……」

「うん。ひろちゃんとね、おそろいなんだ。カッコよかったから、私もそういうの欲しいって言ったら、次の日に和光で買ってくれたの」

「ひろちゃんって？」

「ああ。あいつのことよ。マツオカ・ヒロシ」

名前を口にしたとたん、たまらなく松岡が恋しくなった。

リエは夜空の頂から溢れ落ちる月かげに時計をかざした。十二角形の美しいフォルム。文字盤に色とりどりの海洋旗を描いたデザインは、人生の荒波を勝ち進んできた松岡の腕にふさわしかった。

初めての床で、松岡は愛の言葉のかわりに女房自慢をした。それぐらい、ベッド・マナーを何ひとつ知らない男だった。あのとき正体に気付くべきだったのだ。

あくる日、どうしてもお揃いの時計が欲しいとせがんだ理由を、松岡は知るまい。あのとき、リエの心の中の悪魔が言ったのだ。

あなたの人生が欲しい、と。


その夜、リエと男は襖を隔てて寝た。

松岡のことばかりを話した。大工の見習から叩き上げた苦労人で、今は職人を五十人も抱える建築会社を経営していること。丸二年つき合って、やっと妻と別れる決心をしてくれたのだが、とたんに自分のほうが醒めてしまったこと。

「もったいねえよ、そんなの」

襖の向こうで、男はぽつりと言った。

たしかにもったいないと思う。長いこと苦心惨澹して築き上げた松岡の人生が、たった二年の付き合いで手に入るのだから。

「ガキをおろすのも、もったいねえよ」

男の言うことは正しいと思う。自分と、生れてくる子供の幸福は約束されている。

初めての夜、松岡は自慢げに女房の写真を見せた。ひとめ見て、こんな女のどこがいいのだろうと思った。

持ち歩いているくらいだから、写りのいい写真にちがいない。たぶん、いくらか若いころのものなのだろう。だが、しわくちゃのエプロンをかけて家の玄関の前に佇む姿は、社長夫人というより疲れたお手伝いさんだった。ひどく老けても見えた。

松岡に求婚されたとき、二年前に見たその写真が頭に甦った。瞼の裏に貼りつけられたように、ずっと離れない。

思い出すたびに心がささくれだって、リエは黴臭い蒲団の端を嚙んで泣いた。

襖を蹴った。

「ねえ。抱いてよ、おにいさん」

同じことを、きのうは酔った勢いで言ったが、きょうは醒めた頭で考えていた。誰でもいい。ほかの男に抱かれれば、すべてけりがつく、と。

しばらく黙りこくったあとで、男は細く襖を開けた。荒々しく挑みかかってきて欲しいと思った。

畳を軋ませて立ち上がり、男は黄ばんだシャツの肩をすくませてリエの枕元に座った。

「そういうのって、よくねえよ」

「ソープの女だと思えばいいじゃない」

リエは蒲団の中で下着を脱ぎ、壁に向かって放り投げた。

「あの、だったら抱くだけでいいかな。抱いて寝るだけでいいかな。俺、きたねえから」

おずおずと、男はシャツを脱いだ。月光に洗われた男の体は、美しかった。

「俺、口くせえから、ずっと向こう向いてて下さい。背中抱かれたほうが、あったけえし」

横たわってリエの背を抱きすくめたとき、男はハアッと、胸のつぶれるような息を吐いた。海の匂いがした。太い両腕でリエの首を抱きすくめ、拳を握ったまま決して振り返らせようとはしなかった。

この心地よさは、いったい何だろう。

男のふしぎなやさしさに抱かれて、リエは深い眠りに落ちた。

8

翌《あく》る朝、佐藤辰夫は女の眠っている間に蒲団を脱け出し、姉ヶ浜の駅から快速電車に乗って銀座に行った。いや正しくは、銀座というところに行った。

東京駅でタクシーを拾い、忘れぬようにぶつぶつ呟き続けてきた店の名を告げると、運転手は迷いもせずに走り出した。それだけでわかるのだから、きっと日本一の時計屋なのだろうと辰夫は思った。

一張羅のブレザーのポケットには、ありったけの金が入っている。給料のほかに、念のため姉ヶ浜のサラ金で借金をしてきた。

交叉点の近くで車を降りるとき、どの店だと訊くと、運転手は面倒くさそうに角のビルディングを指さした。

抜けるような秋空の下に、その店は絵葉書のように建っていた。信号を待ちながら、辰夫は建物の美しさにみとれた。日本一の時計屋は、看板なんて出してはいないのだ。そのかわり、屋上に立派な時計塔が乗っていた。さすがだな、と辰夫は思った。

店の中は様子のよい婦人客ばかりだった。一歩足を踏み入れたとたんに、振り返って逃げ出したい気持になったが、札束で膨らんだ胸に手を当てて勇気を出した。

何という時計だったか——店の名前ばかりを呟き続けて、時計の名を忘れてしまった。

店員や客たちの訝《いぶか》しげな視線を感じながら、辰夫はショウ・ケースをめぐった。

やっと見つけた。コルム。そう、コルムだ。

辰夫はガラスの上に肘を置いて、瞼の裏に灼きつけておいた時計を探した。金と銀のごついベルト。文字盤は丸いけど、そのまわりにはたくさん角があって、数字のかわりに万国旗みてえな模様がついていたっけ。

「アドミラルズをお探しですか」

若い女子店員に声をかけられて、辰夫は首をすくめた。

「いや、コルムなんだけど」

「はい。コルムのニュー・アドミラルズ・カップでございますね」

「そうそう。これだ」

「お出しいたしましょうか」

「うん。あ、こっちのちっちえほう。女物だ」

「プレゼントでございますね」

店員が羅紗《ラシャ》の箱の上に取り出した時計は、リエのものとは少しちがった。

「この万国旗みてえなの、きれいだよね」

「これは国際信号旗でございます。イングランドの南海岸沖で二年ごとに開催されるシャンパンマム・アドミラルズ・カップ・レースにちなんで名付けられた、コルム社のフラッグシップ・モデルでございます」

「へえ……何だかよくわかんねえけど。でも、探してるのとは、ちょっとちがう気がするんだ。たしかここと、ここに、金が使ってあるやつなんだけど」

はい、と店員は肯いた。別の時計が出された。

「ピンクゴールド仕上げでございますね。こちらでしょうか」

「そう。これこれ、まちがいねえよ。いくらですか」

辰夫は内ポケットから札束を出しかけた。

「ありがとうございます。こちらは六十五万五千円になります」

「え？……」

耳を疑った。声もなく立ちすくむ辰夫の目の前に、小さな値札が示された。

「六十五万五千円でございますが、なにか？」

そんな値段の時計が、世の中にあるとは知らなかった。

「あ、あの。俺いま三十万ぐらいしか持ってねえんだけど。そんなにするとは思ってなかったから」

「はい、かしこまりました。それでしたら、お内金をちょうだいしてお取置いたしますが」

お取置といっても、不足分は払えない。

「月賦じゃだめか」

はあ、と店員はそこで初めて、不安げな表情を見せた。

「カードは、お持ちではないでしょうか」

「カードって?」

「クレジット・カード」

「そんなの、ねえけど。ないとだめなんか」

「まことに申しわけございません――あの、でしたら三十万円のご予算の範囲で、何かお見立ていたしましょうか」

店員は気の毒そうにそう言った。客たちはジロジロ見るけれど、店員の笑顔は誠実だった。こんないい人に面倒をかけるわけにはいかねえと、辰夫は思った。

「悪いけど、これじゃなきゃだめなんです。ひやかしちまったみてえで、すんません。俺、ほんとに三十万もあれば買えるだろうって思ってたんです。ども」

ぺこりと頭を下げて、辰夫は売場から逃げ出した。とても悲しい気分だった。交叉点に行き交う人々が、みんな自分を蔑んだ目で見ているような気がした。

本当のことを言うと、三十万という値段すら予測してはいなかった。

第六工場の指導係の富さんが持っているオメガが九万なんぼで、それにしたって勤続三十年の表彰で本社から貰った代物だ。だからせいぜい十万もあれば、世界中のどんな高級な時計だって買えるにちげえねえと、辰夫は勝手な勘定を立てていたのだった。

考えてみれば、五十人も職人を抱えて、ベンツを乗り回しているようなやつなんだから、惚れた女に六十五万五千円の時計ぐらい買ってやるのかもしれねえ。

そう思うと辰夫は情けなくなって、見知らぬ街路を歩きながら顔を被った。

泣きながら考えた。俺ァこの油くせえ手で、リエを抱いて寝ちまった。そんで、あいつと同じみてえに、リエに惚れちまった。

いってえ、どうすりゃあいいんだ――。


途方にくれて、どのくらい歩き続けたのだろう。

人ごみを歩き疲れて、辰夫は鈴懸の街路樹の幹に背をあずけた。

いってえ、どうすりゃいいんだと、そればかりを考えながらタバコを喫った。リエの人形のように美しい寝顔が瞼から離れなかった。そして、六工の蟻ン子たちの汗と脂でてらてらと光る顔が思いうかんだ。

「まったくよォ……ああ、情けねえ」

目を閉じてそう呟いた辰夫の耳に、そのとき遠い海鳴りが甦った。表通りの車の音に違いない。だがなぜか、辰夫は喪われたふるさとの海の響きを、はっきりと聴いた。

こう思った。

俺がこんな情けねえ男になり下がっちまったのは、海を忘れちまったからなんだ。親父が漁師で、爺いも漁師で、だのに俺は蟻ン子だ。それは仕方のねえことだけど、俺は男の誇りってやつまでなくしちまってるんだ。そんな男のカスが、あいつにせりかけたって、どだいかなうわけァねえんだ。

だったらどうする?

――瞼を開けて、辰夫はひとつの決心をした。

リエに惚れたことには、俺もあいつも変わりはねえんだから、もうあいつのことなんかどうこう考えることァねえ。俺は、俺の流儀でやりゃあいいんだ。

「そうかあ。そうだよなあ」

と、辰夫は独りごちた。

決心をすると体まで軽くなって、辰夫は工場の中とどこもちがわぬふうに、肩をそびやかして歩き出した。

そうだ。二晩も続けて、抱いてくれろとせがんだのだから、リエは俺に惚れているにちげえねえ。なにも昔の男にせりかけて、同じ時計を買ってやることはねえんだ。

まず、あのボロ家から引越さねばなるめえ。駅のまわりには立派なマンションが建っているけど、当面そんなものは無理としても、便所が水洗だというのが最低条件だ。

花柄のカーテン。フカフカのベッド。夫婦茶碗――それまで考えもつかなかった暮らしの道具が、ひとつひとつ思いうかんだ。

俺はリエに惚れていて、リエも俺に惚れている。だとすると、要は真心だ。

真心。その言葉を思いつくと、辰夫は叫びたい気分になった。

ディスカウント・ショップの前で、辰夫は足を止めた。街路に引き出されたワゴンの上に、安物の時計が溢れていた。

リエの体の中に流れ続けている、あいつとの時間を止めねばならなかった。二年の間、リエの細い腕の上で時を刻み続けていたあの時計を、はずしてやらねばならないと思った。

惚れたはれたは銭金じゃねえんだと、辰夫はころあいの時計を探しながら自分に言いきかせた。

こんな当たりめえのことに、今の今までどうして気付かなかったのだろう。

長いことあれこれと迷ったあげく、辰夫はリエの白い肌によく似合いそうな、黒い文字盤の時計を選び出した。

六千八百円。だが、値段じゃねえ。

ちりばめられたダイヤはガラス玉で、ベルトはたぶんビニールで、金メッキも見るからに薄っぺらだ。それでも、一年間の保証書はついていた。

リエとともに過ごす一年は、考えただけで気の遠くなるような、遥かな時間に思われた。一年のうちに、きっとメッキは剝げるだろう。そのころまでに、六十五万五千円ぐらいの金なら貯めてやる。

酒はぷっつりとやめる。しこたま残業をして、土曜も日曜も草むしりの作業に出て、手当のつく場内清掃を買って出れば、そんな銭なんてわけもねえ、と辰夫は思った。

リエと一緒にいられるのなら、どんなことでもできる。

安物の時計はラッピングを施され、赤いリボンをかけられて、ブレザーのポケットに収まった。

9

ひとりで目覚めてから、リエはしばらくの間、ぼんやりと天井を見上げていた。

頭が痛い。きのうもずいぶん飲んでしまった。

いつの間にか、両手を裸の腹にあてていた。月曜に病院に行こう。男はきっと、共犯者になってくれる。

引越しをして、お店も変えて、何ごともなかったようにまた新しい暮らしを始めよう。

こんなことは何度もあった。苦しむのはほんのひとときで、すべてを描き変えてしまえば、じきにいい男とめぐり会う。傷なんて、何も残らない。

ガラス越しの陽に目を射られて、リエは時計を見た。思いがけぬ午後の時刻よりも、素裸の体に時計だけを嵌《は》めている自分がおかしかった。

松岡に買ってもらったこの時計を、リエははずしたことがなかった。

週に一度、決まって金曜の晩に松岡はリエのマンションを訪れた。そして土曜の一日を暮らした。その暦の正確さに気付いたときから、時計をはずせなくなった。七日のうちの残る六日は会えないが、仕事をしていても家に帰っていても、それぞれの腕に嵌められた同じ時計が、同じ時を刻んでいるのだと自分に言いきかせた。

まだ松岡を愛しているのだろうか。正体のないほど酔っ払って、見知らぬ男を欲しがって、その腕の中で眠りこけても、時計だけは後生大事に嵌めていた。男はもしかしたらこの時計に敬意を表して、何もせずに一夜を過ごしたのかもしれない。いずれにしろ、変わった男だ。

時計を嵌めた手首を胸に抱えて、リエはひとしきり笑い転げた。笑い飽きると、みじめな気分になった。

庭先の物干竿に、ずらりと鳩が並んで自分を見下ろしている。あの男のことだ、きっと飲んだくれながら、鳩や雀を餌付けしてしまったのだろう。

ふと、松岡に電話をしてみようかと思った。

おとついの晩、別れぎわに松岡はたしか言った。「頭ひやしたら電話しろ、きょうのことは忘れてやる」と。

いやなことを根に持つ人ではない。電話をすればたぶん、おとついのことなどおくびにも出さないだろう。

子供ができたらしいの、と言えば、素直に喜んでくれる。そんなことは、わかりきっていた。

どうしようかと迷ううちに、リエはまた眠りに落ちた。

「ただいま」

晴れやかな男の声に、リエは目覚めた。

とたんに怒鳴り返したいほどの怒りがこみ上げたのは、相変わらずこめかみを責め続ける二日酔のせいではない。いかにも亭主ヅラをしたような「ただいま」が許せなかったのだ。

松岡でさえ、いちどもそれは言わなかった。

いつしか日が昏《く》れ、縁先には秋虫が鳴き始めていた。

「ただいま……ああ、寝てたんか。帰っちまったかと思った」

男はほっとしたようにそう言った。リエは体を丸めて蒲団をかぶった。

「帰れって言ったり、帰るなって言ったり、変な人ね、あなた」

男はちんまりと枕元に座った。

「ねえさん、寝つきはいいけど、寝起きは悪いみてえだな」

男の顔に枕を投げつけて、リエは蒲団にもぐりこんだ。

灯りもつけず、男はただちんまりと枕元に座っている。

「十五夜の次が十六夜で、そんじゃきょうは十七夜か」

「知らないわよ、そんなこと」

「欠けちまったお月さんって、どこ行ったんだ。溶けちまったか」

蒲団のすきまから覗く。男は少し欠けた月を見上げていた。むしょうに腹が立って仕方がなかった。何だってこの人は、こんなにぼんやりと生きていられるのだろう。

「ねえさん……いや、リエさんって呼んで、いいかな」

「勝手にしたら」

俯いた男の横顔が月を被った。群青の夜空にきっぱりと貼りつけられた、影絵のようだ。

ふいに男は、まるで血を吐くような切ない声で、思いもよらぬことを言った。

「リエさん。俺の子供を、産んでくれますか」

意味がわからぬままに、リエの体は押しとどめようもないほど慄え出した。胸を抱きかかえて、リエはようやく言った。

「なによ。満足に女を抱けもしないくせに」

「いや、そうじゃねえんだ。俺ね、一生あんたのこと抱かなくたっていいから、そんなことぜったいしねえって約束すっから。だから、おなかの子、ここで産んで下さい」

おねがいします、と男は言った。

リエの咽《のど》から、泣き声とも笑い声ともつかぬ呻きが洩れた。慄えながら呻きながら、リエはまたようやく言った。

「あなた、誰なのよ。いったい、誰なのよ」

人間の男ではない何者かが、月あかりの中でじっと自分を見つめている。

ブレザーの袖を瞼にあてて、男は小さく呟いた。

「俺ァ、蟻ン子です」

そうかもしれない。汚れた作業着を着て、朝から晩まで段ボール箱を担いで歩く男の姿が目にうかんだ。

「したっけ、リエさん。俺、あんたを幸せにするためなら、何だってするし、おなかの子も、そりゃあ社長さんの子供よりかは不自由させるかもしらねえけど、ちゃんと大学まで行かせて、立派にします。蟻ン子の子を、まさか蟻ン子にはさせねえです。だからリエさん、その子は殺さんで下さい。俺が責任持って育てっから、その子は俺に下さい」

それから男は、リエの慄える腕をそっと握った。

「なにすんのよ、やめてよ」

抗《あらが》いきれぬ強い力で、男はリエの手首から時計を奪った。

耳元で乱暴に包みが解かれ、何かがリエの手に巻きついた。

「なによ、これ……」

薄っぺらな、安物の時計だった。

「あんた、バッカじゃないの」

リエは身を起こすと、声を立てて笑った。慄えも呻きも吹き飛ぶほどに、大声で笑った。笑わなければたいへんなことになると思った。笑え、笑えと、自分を励ましながら、転げ回って笑った。

安物の時計をむしり取り、返す拳で男の頰を力まかせに殴った。

「ふざけないでよ！　あんた、何様だと思ってるの。あんまりみじめったらしいから、掃除してやって、ババアの供養までしてやって、いっぺんぐらいなら抱かれてやってもいいって思ったのに。ああ、やだやだ、もうたくさん。帰るわね、さいなら」

この男は、怒るということを知らないのだろうか。ただれ落ちるような悲しい目をリエに向けて、男はもう何ひとつ物も言えず、ただぶ厚い唇を慄わせていた。

リエは安物の時計を、ガラス戸に向けて投げつけた。ガラスが粉々に砕け散った。男は一瞬肩をすくめ、きつく目を閉じた。

「それ、返してよ。高いんだから」

男の手からコルムを奪い返すと、これ見よがしに腕に巻き、下着をつけた。

「ジロジロ見ないで。スケベじじい。あっち向いてろ」

男は呆《ほう》けたようにゆらりと立ち上がった。とっさに身構えたが、べつだん何をするというわけではなく、リエには目もくれずにかたわらをすり抜けた。

「どこ行くのよ」

男は骨箱を胸に抱き上げた。それから魂の抜けたように、部屋を出て行った。

「ねえ、どこ行くのよ」

ごそごそと、作業靴をはく音がした。

「もう一晩、泊まってってもいいよ。俺、きょうは帰らねえから、ゆっくり寝てけ。無理したら毒だし」

リエは縁側の戸を開けて、歩み去る男を呼んだ。

「どこへ行くの！」

「海」

「海って、そんなものどこにあるのよ」

「ずっと先さ。コンビナートのずっと向こう」

「海へ行って、何するつもりよ」

「心配するなって。おふくろとよ、海を見るだけだ」

黄色い花をいっぱいにつけた金木犀の垣根の道を男の背中が去ってしまうと、リエはひとりになった。

小さな庭は月あかりに満ちていた。

垣根の向こうには傾いた松林があり、その先にはクリスマス・ツリーのように輝くコンビナートがつらなっていた。

ほのかに、海の匂いがした。

縁側の砕け散ったガラスのかけらの中に、壊れた時計が落ちていた。

月が雲間に隠れると、庭は灯を吹き消したように翳り、やがてまた傾いた軒の端《は》を切って、光が満ちた。

光と影のくり返すさまを、リエは縁側に佇んだまま見ていた。そのうち、ふしぎな気持になった。

お月様のかけらは、どこへ行ってしまったのだろう。

もしかしたらそれは、コンビナートの高炉の炎に焼かれて、ひと夜のうちに溶けて流れてしまったのではないかしら。

リエは壊れた時計を拾い上げ、腕に巻いてみた。これは、月のしずくだ。

そう信じたとたん、松岡から贈られた時計は指の間からすべり落ちた。

リエは裸の膝を抱えて泣いた。ひとしきり泣いて目を上げると、コンビナートのずっと先にあるという海の風景が、ありありと心にうかんだ。

夜の埠頭の片隅で、あの人はきっと海を見ているのだろう。見知らぬ女の偽りを母親に詫びながら。

そしてたぶん、ふるさとの海が喪われてしまったことも、蟻ン子たちの苦労も、家を捨てる男や、子供を殺す女のいることも、全部が全部、自分のふがいなさのせいだと信じながら。

松林の道をまっすぐに海まで走って行こうと、リエは思った。

少しだけ欠けてしまったけれど、今夜の月はまだ明るい。

聖夜の肖像

1

時間の経過は年齢とともに加速するものだと、母が言っていた。

遠い昔、たぶんそんな話は少しも実感を伴わずに聞き流してしまうほど若い時分だったと思う。

バスルームの鏡に向き合って、四十を過ぎた肉体をつぶさに観察するうちに、島崎久子はしみじみと母の言葉の真理に気付いた。

容貌が衰えたとは思わない。むしろ齢なりの美しさを、十分に備えている。たとえば十年前の自分と二十年前の自分を鏡の中に並べて見ても、こと艶やかさという点では四十三歳の今がまさっていると思う。

だが、時間が加速しているということ、それは本当だ。このさき美しく老いて行く方法を、紅茶を淹《い》れて母に訊いてみようと久子は思った。

インターホンのブザーが二度鳴って、バスルームに夫の声が届いた。

「なあ、チャコ。表参道に行ってみないか」

カメラの手入れをしているうちに思いついたのだろう。恋人にそうするような不器用な物言いに、久子は微笑んだ。

「おかあさん、出たがらないわよ。寒いし」

「いま聞いたよ。二人で行ってこいって」

「湯ざめしちゃうわ」

「子供らのいないイブは初めてじゃないか。ちょっとだけ、なあ、行こうよ」

「イブのポートレートを作るほど若くはないわ。ただいま確認しました」

横あいから母の声が割りこんだ。

「すぐそこなんだから、ちょっと行っといで。パパさん、チャコの写真とりたいって」

そうじゃないよおかあさん、と夫の声が照れた。

久子は冷えた体をバスタブにすべりこませた。

スピーカーから、「きよしこの夜」が流れてきた。いかにも夫らしい気くばりである。

体を温めながら、幸福は嚙みしめなければいけないと久子は思った。自分で納得できるほどの美しさを保証してくれているのは、夫のやさしさである。

酒は好きだが、飲んで乱れるということはない。浮気は適当にしていると思うが、脅威に感じたことはない。もう少し嘘がうまければよいと思うが。

道楽らしい道楽といえばカメラで、それにしたところで写真家になりたかったという夢を、いまだ少年のように追っている程度に過ぎない。

これからでも遅くはないんじゃないの、と言うと、夫は決まってこう答える。

僕は才能がないから。金儲けの才能はあると思うけどね。

いつから夫は、そんなふうに自分の人生を決めてしまったのだろう。知り合ったころにはたしか、父親の跡を継ぐ気はないと言っていた。

自分の資質も使命もどこかでちゃんと見極めて、父親から譲られた不動産業を何倍にも大きくした。

地価急騰の時代にもブームに躍らされることはなかった。そして、まるで平和と安息とが自分のキー・ワードであるかのように、二人の子供を育て、妻を老いさせず、つれあいに先立たれた姑《しゅうとめ》を引きとって、なに不自由のない暮らしを与えてくれた。

幸福は嚙みしめなければいけないと、久子は湯上がりのシャワーを浴びながらもういちど自身に言いきかせた。四十三歳の女が望みうる限りの至福。豊かさと健康と美貌と家族の愛情と――。毛ばかりの瑕瑾《かきん》すらない宝石のような生活。

素肌にバスローブを着てリビングに出る。夫は暖炉の前に三脚を据えて、母の写真を撮っていた。

「お葬式の写真にちょうどいいねえ。笑わないのも撮っておいてよ、パパさん」

「だめだめ、なに言ってるの。おかあさんは笑顔がいいからね、シルバー・マンションのモデルにするんです」

母は声を立てて笑った。謹厳な官吏だった父が生きていたころには、決して見ることのなかった表情である。よくできた娘婿と暮らすようになってから、母はたしかにいい顔になった。

「モデル、って？」

「パンフレットのモデルですよ。採用になったら、ちゃんと出演料も払いますから。はい、目線ください、こっち。構えちゃだめだよ。ふつうにして」

「無理じいしないでね。社長さんがそう言ったら、誰も反対できない」

「ご心配なく。うちのスタッフはそんなに甘くはありません」

「何だか申しわけないねえ。そのマンション、身寄りのない人が入るんだろう？　だったら私がモデルじゃ、嘘だよ」

ファインダーを覗きながら、夫は答える。

「そうじゃないですよ。温泉つき、看護婦つき。ケースワーカーも常駐するんだ。この世の極楽です」

このプロジェクトは成功するにちがいない。夫のやさしさと細やかさが、きっと物を言うことだろう。大手デベロッパーが高齢化社会を見越して建設するものとは、そもそも理念がちがう。

「なにしろ企画スタッフは、うちの会社の定年ＯＢですからね。全員七十歳以上。おやじの遺産ですよ。それに、営業はやはり七十歳以上の親を持っている社員」

「へえ、そりゃ名案だわ。さすがはパパさん。そんなにいいところなら、私も行こうかね」

「おかあさんはだめです」

「どうして？　年寄りばっかりのマンションなら、退屈しなくていいわ」

おかあさん、と久子は髪を拭きながら母をたしなめた。

「そんなこと言うと、パパさん本気で考えちゃうわよ」

「え？——ああ、冗談よ、冗談」

母は失言をはぐらかすように、昏《く》れなずむ窓辺に目を向けた。眼下は墓地公園の闇で、そのさきにライト・アップされた東京タワーと高層ビルの林が望まれる。絵葉書のようなイブの夕景だった。

夫が着替えに立つのを目で追ってから、母は久子をかたわらに手招いた。

「ねえ、チャコちゃん。あんた、気がすすまないんだろう」

胸のうちを読まれて、久子はぎくりとした。

「前からいちど言っとかなきゃって思ってたんだけど——」

小声で言いながら、母は廊下の先に目を向けた。

「何のことよ」

「だって、パパさん毎年誘ってくれるのに、あんたいちども行こうとしないじゃないの。去年だって、子供たちと三人で出かけた」

「だから、何のことよ」

と、久子は声を荒らげた。母の目は悲しかった。

「お願い。一緒に表参道に行っても、不機嫌にしないでね。そりゃおかあさんだって女だから、チャコちゃんの気持はわかるけど、パパさんを悲しくさせないで」

「わかってるわよ……おかあさんこそ、変なこと言い出さないでよ」

母は二十年もの間、ずっとそんなふうに娘の心の動きを観察し続けてきたのだろうか。少なくとも母は、久子が幸福を確認するための努力をしていることを知っている。たぶんその努力が、痛ましく見えるのだろう。

「パパさんに、申しわけないよ。チャコ」

それは、わかっている。

申しわけないと思いながら、夫を二十年前の恋人と比べている。そして久子の胸の中で、夫はいつもみじめに競り落とされてしまう。

母は、ずっと気付いていたのだ。

火照った体の冷えるほどに、胸苦しい記憶が甦った。

2

一九七六年のイブを、久子はパリで迎えた。

大学を出たら二、三年はパリで過ごすと勝手に決め、そう宣言をしていた。卒業が間近になって計画が具体的に動き始めると、それまでは笑って済ましていた父は当然はげしく反対をした。

自立することが夢で、結局それを果たせずにおしきせの見合結婚をしてしまった母が父を説き伏せてくれなかったなら、実現するはずのない計画だった。

画家になろうなどという大それた考えはなかった。子供のころから手先は器用だったが、かりそめにも美術大学に四年通えば、自分の才能がどの程度のものであるかははっきりとわかる。ただ、パリに憧れた。

「シャンゼリゼのクリスマスも、きれいなんだろう?」

マンションの玄関を出て歩き始めたとたん、夫にそう訊ねられて、久子は怯《ひる》んだ。南青山のマンションから五分も歩けば青山通りで、クリスマスのイルミネーションに彩られた表参道は近い。

「私、見たことないの」

「え?　一年いたって――」

「いたけど、あんまり出歩かなかったから。言葉も覚えられなかったし、お友達もいなかったの。だからずっとアパートにこもりっきりで」

苦い嘘だった。どうすれば話題を変えられるだろうと、久子は凩《こがらし》に身をすくめて夫の腕を引き寄せた。

「きょうは寒いわね。雪、降ったかしら」

「さあ。でも、今は人工降雪機があって、ともかくスキーはできるらしい。学校だってそのくらいのゲレンデは選んでいるさ」

高校二年の息子と一年の娘は、揃って学園のスキー・スクールに行った。こうして二人きりでイブの街に出ることも、初めてである。ずっと避けていたのかもしれないが。

「パリの、どのあたりにいたの？」

話頭を返されて、久子は溜息をついた。

「——サン・ミシェル。メトロの駅の近くよ」

「それ、どこ？　地図が頭に入っていないんだ」

「セーヌ川の左の岸。いわゆるカルチェ・ラタンよ。ソルボンヌも近いわ」

「へえ。何だかわからないけど、要するに学生街だな」

「カフェと本屋さんがたくさんあるの。サン・ミシェルの大通りはマロニエの並木で——」

言いかけて、久子は唇を嚙んだ。何も知らぬ夫を弄《もてあそ》んでいるような気がした。

「いいよなあ、そういうのって。うちのおやじはケチでやかましかったからな。外国なんてとんでもなかった」

夫の父親にはいちどだけ会ったことがある。付き合い始めて、まだ手も握らぬうちに食事に招かれた。いかにも一代の起業家にふさわしい豪放磊落《らいらく》な印象があった。

「そんなにやかましい人には見えなかったけど」

「いやいや。ものすごく神経質だった。僕もおふくろも弟も、完全に管理されてたな。ポックリ逝《い》ったのは、ストレスだね」

父親が急死しなければ、二人が結婚に至ることはなかったかもしれない。ともかく身を固めなければならないと、夫はプロポーズのときはっきりと口にした。

考えてみれば味気ない文句だが、いかにも夫らしい。たぶんそのとき久子も、そういうことをきっぱりと言う夫の堅実さに魅かれた。少しもロマンチックではないが、明晰な人だと思った記憶がある。

「やかましさなら、私の父親のほうがうわ手よ。謹厳実直を絵に描いたような人だった」

「いや、話のわかる人だったよ。君のおとうさんは」

そうではない。一人娘を留学させたのは母に寄り切られたからで、二つ返事で嫁に出したのには――理由があった。

二年前、癌でもういけないとなったころ、父はしきりに婿に会いたがった。なるべく会わせないようにしたのは、気弱になった父が妙な詫びを入れはしないかと、久子と母が気を回したからだった。父は死の間際まで、ずっとそのことを気にかけていたと思う。

青山通りと表参道の交叉点に、夫は三脚を据えた。まばゆいイルミネーションが、ゆるやかな谷を下り、原宿の駅をめざして続いていた。

「きれいだな。ビュー・ポイントはここからと、あと途中の歩道橋からだね」

「それじゃ去年と同じ写真になるわよ。子供たちが笑うわ」

「今年は君がいる」

「私はいいわよ。四十三の女じゃ、とても絵にならない」

シャンゼリゼのイルミネーションは、こんなものではなかったと言いかけて、久子はあやうく口をつぐんだ。

冬枯れたマロニエを飾る豆電球は、たしかにこんなものではなかった。凱旋門からコンコルド広場まで続く光の洪水。抱き合い、くちづけを交わす若者たち。そしてその中に、久子と恋人はいた。

満天のイルミネーションにくるまれた小野純一郎の、こわれもののように繊細なおもざしを、久子はありありと思いうかべた。

「どうしたの、ぼんやりしちゃって」

髪の根を摑まれたように、久子は我に返った。ほんの一瞬、心が飛んでいた。

「いえ、あんまりきれいだから見とれてたの」

「そこに、座ってくれないかな。ガードレールに」

「いいってば。恥ずかしいわよ」

久子はカメラに背を向けた。シャッターの音が背中に刺さった。

いつだったか夫は、趣味は妻の写真を撮ることだと、業界紙のインタヴューに答えた。

夫婦喧嘩になったのは、夫の撮影した久子の写真が掲載されたからだった。怒るほどのことじゃないだろう、と夫は首をかしげた。

たしかに目くじらをたてるほどのことではない。どこかでその記事と写真とが、純一郎の目に触れるのではあるまいかと、久子は考えたのだった。

もし自分がそうであるように、純一郎も自分を愛し続けているとしたら、屑籠のふちに翻る新聞の写真も、見落とすはずはないと思った。

「うしろ姿もいいけどね」

フラッシュの合間に、夫は言った。

二十年間、ずっとこの人に背中を向けている。女として望むべきすべての幸福を授けてくれた夫を、偽り続けてきた。いまだにくり返し囁いてくれる愛の言葉に、いちどたりとも応えたことはない。心をときめかせることも、肉体の歓喜すらもなく、すべてそう見えるように演じ続けてきた。

処女のように寝室の灯りを消すのは——夜ごと抱かれる男を純一郎だと信じたいからだ。

「ちょっとだけ、横を向いてくれないかな」

洟《はな》をすすって、久子は横顔をレンズに向けた。

「あれ。どうしたの、チャコ」

夫は久子の涙に気付いた。言いわけを考えようとすると、よけい悲しくなった。二十年の間、何度あったかわからないこんなとき、いつも子供だましの嘘をついた。風のせいや、コンタクト・レンズのせいにした。

何を言ってもこの人は信じてしまうのだと思ったとたん、涙が止まらなくなった。

夫は三脚を畳んで、久子の肩を抱き寄せた。広くて温かい胸。そして、ただ広くて温かいだけの胸。

「あの、チャコ」と、夫は久子の顔を胸に抱いて囁いた。

「あの……もし、僕自身のいやなことに君が気付いていて、それが君にとって、とても悲しいことだったら、ちゃんと言いわけをさせてもらう。だね。ごめん」

何のことなのだろう。たとえどんな罪であろうと、夫を責めはしない。自分にそんな資格はない。

「そうじゃないわ。あなたのことは信じてます」

夫はほっと息をついた。言わずもがなのことを口にして、うろたえている。二人きりのときの夫は、いつも息子と同じ年頃の少年だった。

「じゃあ、どうしたんだ。いったい」

「あのね――」と、久子は夫の腰を抱きしめた。イブの晩に、嘘をつきたくはなかった。

「何を言っても、愕《おどろ》かないでくれる？」

「どうしたんだよ。何だか怖いな」

久子の頰を両手で引き起こして、夫は真顔になった。

「聞くのには、ひとつだけ条件がある」

「言って」

「きょうを、特別な夜だと思って欲しい」

「特別な夜？」

「つまり、何が起ころうと、何を言おうと、明日からはいつもの君に戻るって、約束して欲しい。子供たちから見ても、おかあさんから見ても、もちろん僕から見ても、いつものチャコのままでいてくれるのなら、僕は何でも聞くよ」

「ありがとう、約束するわ」

久子は夫の肩に伸び上がって、うなじを抱いた。

イルミネーションが瞳の中で溶けた。シャンゼリゼのようだと久子は思った。

「私ね、パリに好きな人がいたの。その人のことを思い出したら、泣いちゃった」

夫は息を吐きながら、ひとつ肯《うなず》いてくれた。

「それで？」

「サン・ミシェルの、メトロの駅の近くのアパルトマンに、一緒に住んでた」

夫の肩がわずかに揺れた。

「……どれぐらい？」

「パリに行ってすぐ知り合って。カフェで、私から声をかけたの。イーゼルを持ってたから。その晩、話がはずんで、少しお酒を飲んで、うちにくるって聞いたら、ついてきちゃった」

「他人のせいにしちゃいけないよ。そういう言い方はよくない」

「ごめんなさい。私、淋しかったの。何もわからなかったし、モンパルナスの塾にも日本人はいなかったの。日本語でしゃべるのがうれしくって」

「そんな理由で人は愛せない。ましてや――」

と、夫は久子の髪の上に目を伏せた。

「ましてや、二十年も愛し続けることはできないよ」

夫の腕が瘧《おこり》のように慄え始めた。二十年の間、何度も気付き、そしてそのつど愛という善意で、夫は信じがたい嘘を信じてきたにちがいない。

「怒ってよ、真ちゃん」

「怒らない。僕と出会う前のことだ」

「でも――あなたの言う通りよ。私、ずっとその人のこと、愛しているもの」

言ってしまってから、自分は何というひどいことを言うのだろうと久子は思った。夫の愛が重苦しかった。

少し考えるふうをしてから、夫は言った。

「それは、悔しいな。でもやっぱり怒らない」

「どうしてよ。私、あなたのこと愛してないのよ」

「その人と、どこかで会っていたの？」

久子は身を慄わせて否定した。

「それならいいよ。怒ることじゃない」

「愛してないのよ。こんな贅沢させてもらって、可愛い子供を二人も産ませてもらって、おかあさんの面倒までみてもらって、それでもあなたのこと、愛してないのよ。今でもあの人のこと、大好きなのよ」

夫は久子の髪に顔を埋めて、きっぱりと言った。

「でも、僕は君を愛している。ずっと愛してきた」

「だから、それは――」

「だからそれでいい。僕は怒らないよ。ありがとうって、言うしかないだろ」

体じゅうから力が脱けた。夫は久子をガードレールに座らせ、肩を抱いてかたわらに座った。

「それで？」

「もういいわ。ごめんなさい」

「よくないよ。きょうは特別の夜だ。サイレント・ナイト。でも、黙っちゃいけない」

夫は悲しい微笑を久子に向けた。

「つまり、僕と出会う前の年のクリスマスを、彼と過ごした。そういうことはもうちょっと前に聞いておきたかったね。毎年イブに君をここに誘って、そのたびに思い出させて、嘘をつかせた――それで、どうして別れたの？」

「言って、いいかな」

「言っちゃえよ。特別の夜さ」

「おとうさんがね、連れ戻しにきたの。パリまで」

「へえ。ばれたのか」

「大学時代の親友が遊びにきて、日本に帰ってからありのままをしゃべっちゃった」

「他人のせいにしちゃだめだよ。友達はよかれと思ってそうした。君のために」

「あのね、真ちゃん――」

きょうは特別の夜だと、久子は自分を励ました。たしかに友人には、事実を親に伝えねばならぬ理由があった。

「連れ戻されたときね、私、おなかに赤ちゃんがいたの」

ああ、と夫は溜息を声にした。腕が久子の肩からすべり落ちた。咽《のど》をつまらせながら、夫はようやく言った。

「それで？」

「おとうさんと病院に行ったわ」

「ほかに、方法はなかったのかな」

「なかったと思う。あの人、おとうさんがきたとき、結婚なんてする気ないって、はっきり言ったから」

「産むことは、考えなかったのか」

考えなかったわけではない。そのことでしばらく父と揉めた。

「あなたと初めて会ったときね――」

「ああ、パリから帰ってきたばかりだって言ってたっけ。あのときは、まだ？」

「そう。揉めてる最中。つわりがひどくて」

夫はガードレールに腰を下ろしたまま、三脚を杖にしてうなだれた。ダウン・コートの襟をかき合わせて、病んだ獣のように低く呻いた。

何もここまで言うことはなかったのだと久子は悔やんだ。もう甘えているのではない。決して怒ることのない男を、弄んでいる。

しばらく心を鎮めるように、ブーツの爪先で枯れ葉を踏んでから、夫はぽつりと呟《つぶや》いた。

「そのとき、僕に相談してくれればよかったのに」

「むりよ、そんなこと。初対面の人に何て言うの」

パリから連れ戻されて間もない、正月だったと思う。気晴らしにふらりと出かけた銀座で、偶然に従兄とめぐり逢った。

何だチャコちゃん、里帰りか。

ううん、ホームシックにかかって、帰ってきちゃった。

だらしねえなあ。これ、大学時代の友達。これ、イトコの久子。パリ帰りの生意気なやつ。

べつだん魅かれたわけではない従兄の友人に、改めて電話をしたのは久子のほうだった。手帳に挟んであった名刺を眺めているうちに、受話器を取っていた。

「もしかしたら、相談しようとしていたのかもしれないわ。ほかに電話をする理由なんて、なかったもの」

「スキーの板を選んでくれって言ったよ、君は。そうじゃなかったの」

思い出した。神田のスポーツ用品店をめぐりながら、久子は相談を持ちかける機会を窺っていた。どうしてこの人にそんな悩みを打ちあけようとしたのだろう。つまり、いかにもそういう人だった。

結局、何も言えなかった。こんど一緒にスキーに行こうよ――無邪気に誘われて、咽まで出かかった言葉を呑み下してしまった。

「でも、あのとき相談していたら、私たちこうしていないわよ」

「ばかだな」と、夫はかじかんだ掌に息を吹きかけながら、くぐもった声で言った。

「僕はあのとき、もう君を愛していた。今と同じぐらい」

「うそ」

「嘘じゃない。スキーに誘ったとき、心臓が止まりそうだった。ひとめ惚れ、ってやつだね」

俯くほかに返す言葉がなかった。そのさきは聞きたくなかった。

「だからね、あのとき相談してくれれば、君が傷つくことはなかったと思う」

「信じられないわ、そんなの」

「べつに信じてくれなくてもいいよ。でも、僕はまちがいなくその場で君にプロポーズした。いやだとは言わせなかったな」

信じられないが――この人ならやりかねないと久子は思った。

ふと久子は、ひとつの告白で実現したかもしれないその後の生活を仮想した。たぶん夫は、不実の子を何の分け隔てなく愛し、育てたと思う。

「それのほうが、よかったな」

と、夫は言ったなり頬の歪むほどに奥歯を噛みしめた。

「どうして？」

「そういう条件つきで、君が僕を愛してくれたのなら、それのほうがずっとよかった」

夫は三脚に額をあずけて俯いてしまった。

ガードレールは恋人たちの止まり木になっていた。うなだれた背に掌を置くと、夫の悲しみが低い轟きになって伝わった。

「一生けんめい、やってきたんだけどな。君と結婚できたのが嬉しくって、君を幸せにするのなら、カメラマンよりもおやじの跡を継いだほうがいいに決まってるもんな。これって、ごくろうさんってやつか」

夫は恋人の骸《むくろ》でもかき抱くように、古ぼけたカメラをセーターの腹に抱きしめた。そしてやり場のない怒りを燃やすように、足元に向けてフラッシュを焚いた。

夫が怒りをあらわにしたのは、初めてだった。やさしさに甘えたあげくに夫が変質してしまうことを、久子は怖れた。

「約束、守ってよ」

久子が念を押さねばならなかった。

「わかってる。きょうは特別の日だ」

「キリストも生れたんだから」

「そうだね。何があったってちっともふしぎじゃない」

「ありがとう。ごめんなさい」

久子の空疎な声に微笑を返して、夫は立ち上がった。

3

純一郎と別れたのは、エトワール広場が光の籠になった、冬の日だった。

イルミネーションを望むカフェの窓辺で、三人はこのうえなく気まずいテーブルを囲んだ。

イーゼルを膝に置いたまま、純一郎は青ざめていた。男らしい言葉を期待していたわけではない。せめて父の目をまっすぐに見て欲しいと、久子は思った。謹厳な父だったが、狭量な人物ではなかった。たぶん、父にとってどれほど理不尽なことであろうと、既成の事実を追認するだけの正当な理由を見出しさえすれば、許してくれたはずだ。やみくもに連れ戻そうとしたわけではなかった。

「君は、実家はどちら？」

挨拶もできずにいる純一郎に、父はまずそう訊ねた。

「純ちゃん」と、久子は答えを促した。そのくらい純一郎は怯えきっていた。

「京都、です」

かろうじて聴きとれるほどの声だった。

「母が京都にいて、父は東京」

「家庭のご事情が複雑なのかな」

「まあ……そうです。母は籍に入っていないから」

「仕送りは？」

「弟が大学に行っているから。あの、弟は父親がちがうんだけど」

「じゃあ、君はどうやって暮らしているの」

純一郎は答えなかった。とたんに父の顔色が変わった。

いたたまれずに、久子は口を挟んだ。

「彼、モンマルトルのテルトル広場で、似顔絵を描いてるの」

「おまえは黙っていなさい」

と、父は叱るように言った。テーブルの下でさかんに手袋を揉みしだきながら、父は絶え間なく煙草を喫い続けた。

「たとえそういうことをしていくばくかの金を得ていようと、それは今の君がするべきことではあるまい」

純一郎はひとことの反論もしなかった。沈黙が父の怒りをつのらせた。

「久子は絵の勉強をしている。そのために私は仕送りをしている。君は久子の下宿に転がりこんで、食わせてもらっているのか。あげくの果てがこのざまだ。どう責任をとる」

申しわけありません、と純一郎は頭を垂れた。たとえ現実がそうであるにせよ、言いわけのひとつもして欲しかった。たぶん父も、それを待っていた。

「惚れているのか、いないのか。それだけははっきりしろ」

父のできる限りの譲歩だったと思う。

「好きです」

「それは、愛しているということだね」

「はい」

「ならばこのさき、どう責任をとるんだ。具体的に、君の考えていることを言いなさい」

「べつにこれといって、考えていません」

父は体じゅうの息を吐きつくすほどの溜息をついた。それでも役人らしい実直さで、もういちどだけ訊ねてくれた。

「方法がわからないのなら、教えてあげてもいい。私は娘の幸せを願っている。人間は愛情だけでは幸せにならないということを、君にわかってもらいたいんだ」

そこで初めて、純一郎は意思を声にした。

「僕はいま幸せだし、チャコも幸せです。愛情だけで幸せになっています」

「それは欺瞞だ。麻薬を嗅いでいるのと同じことだよ。このままでは君も久子も不幸になる。わかりきったことだ」

それから父は、ふいに立ち上がって久子の腕を摑んだ。一瞬、うらめしげに見上げた純一郎の目を見、窓の外の輝かしい光を見返り、楽しげに語らう恋人たちや、ギャルソンの白いタブリエを意味もなく見つめて、おろおろと、しかしできる限りの威厳をこめて父は言った。

「チャコ。さよならを言いなさい」

それから――久子はどうしたのだろう。泣きもせず、別れの言葉も言わなかった。記憶がそれきり途切れているのは、よほど動顚していたのか、あるいはとたんに忘れなければならないほど、悲しい時間が過ぎたのだろう。

その夜のうちに荷物をまとめて、父の滞在していたホテルに連れて行かれた。父の真剣な説諭にただ肯き、父に抱かれて寝た。

翌《あく》る日、父の旧友を領事館に訪ねた帰り、久子は藁にもすがる気持で父に懇願した。

これからテルトル広場に行って、彼の仕事ぶりを見てほしい、と。

冬空の青さが目にしみた。純一郎がそこにいなくても、貧しい画学生や大道画家たちの姿をひとめ見てもらいたかった。彼らの真摯さを父が理解してくれたら、何かが変わるかもしれないと思ったのだ。

いつもイーゼルを立てているマロニエの大樹の下に、純一郎の姿はなかった。かわりに顔見知りの美術学校《ボザール》の学生が久子を呼び止めた。

朝方ふらりと純一郎がきて、もしチャコが寄ったらこれを渡してくれと、一葉の肖像画を託していったのだった。

それは誕生日のプレゼントに、純一郎が描いてくれた久子の似顔絵だった。出来ばえが気に入って、純一郎はそれをずっと看板にしていた。プレゼントなのだから久子に返さねばならないと思ったのか、愛の記念のつもりか、さよならのかわりか、いずれにせよすっかり大道の埃に汚れてしまった肖像画を受け取ったとき、久子は初めて泣いた。

すべてが終わってしまったのだと、ようやく気付いたのだった。

広場を去り、ノルヴァン通りとソール通りの交叉するあたりで、久子はモンマルトルの丘を振り返った。冴え返った冬空に、ユトリロの絵そのままの風景があった。サクレ・クール寺院の白いドーム。石畳と古い家並。葉の落ちたマロニエの枝が、罅《ひび》のように空の青みを割っていた。

あの人は明日からまたテルトル広場にカンバスの椅子を置いて、一枚の似顔絵を売るのだろう。デッサンの腕前はボザールの学生も目を瞠《みは》るほどだが、性格が内気で、言葉もうまくはない。ほかの絵描きたちのように客の様子を見て値段をふっかけることもできず、ただうりふたつの肖像画を五分で描きあげて、わずかな報酬を受け取る。「メルシー・ボークー」と、いかにも日本ふうに頭を下げる。

日昏れには、毎日迎えに行った。明日からはひとりでイーゼルと椅子を抱え、たそがれの石畳を帰るのだろう。

立ち去れずにユトリロの風景を見つめていると、父が腕を引いた。

「おまえが心配しても始まらない。彼の才能が本物なら、埋もれるはずはないよ」

父は励ましたつもりだったのだろうが、久子の耳には罠のように障《さわ》った。

似顔絵を描き続けてくれるのならいい。だが純一郎はたぶん、モンマルトルの安酒場にたむろする、荒れすさんだ、頭でっかちの連中にまぎれ入ってしまうだろう。あの華《きゃ》奢《しゃ》な白い指から絵筆を奪ったら、何も残らない。何も。

久子の思考は、それなり停止した。

せめてはっきりと別れの言葉をかわしていたのなら、何らかの結論を導き出すことができただろう。だが、久子の胸に幕が下りることはなく、純一郎の姿はおぼろな霧に包まれて、永遠にとどまった。抗えぬ記憶は月日を重ねるごとにより強く、より硬く、久子のうちに定まってしまった。

もし純一郎の子を産んでいたら、と冬がくるたびに考えた。死児の齢は、両手に余ったときから算えるのをやめたが、冬がくれば見もせぬ少年のおもかげが、いくども胸を吹き抜けた。そんなとき、きっと久子はひどく悲しい顔をしたのだろう。口にこそ出しはしなかったが、父も母もその表情には気付いていたはずだ。

病院に行ったあとで、いちどだけパリに手紙を書いた。何通も書き改めた末、結局お道化《どけ》た文章になった。

もう純ちゃんに心配をかけるようなことは何もないからネ。これからはちゃんと気をつけましょう――。

返事はこなかった。その後の消息も何ひとつ伝わらなかった。

夫とはしばらくの間、友人として付き合った。約束通りスキーにも行ったが、二人きりではなかった。恋人とは言えなくても、それに近い好意は抱いていた。しかし純一郎と同格の恋人とすることを、久子は潔しとしなかった。むしろ会うたびにはっきりと感じる夫の愛情が、うとましくてならなかった。

わずかの間に何人もの男と付き合ったのは、一途に思いを寄せてくる夫が怖かったのだ。愛することのできぬ男からそれほどまでに愛されることは怖かった。だから自分を愛しそうもない男たちに体を許した。

愛さえなければ、少なくともその男たちと抱き合っているときだけは純一郎を忘れることができた。

夫に求婚されたとき、久子はきつく目を閉じた。あらかじめ予測はしていたのだが、いきなりフラッシュを焚かれたように瞼が痛んだ。

自分の体を思うさま抱いて、あっけらかんと去って行った男たちが決して口にしなかった言葉を、手すらつないだことのない夫が面と向かって言ったのだ。

一言一句を、久子は覚えている。

ともかく身を固めなければならないんだ。でも、誰でもいいってわけじゃない。僕はチャコのことが大好きだし、嫁さんにするのなら君しかいないって、ずっと決めてたんだ。だめかな。わがままかな。オーケーしてくれるのなら、ものすごく嬉しいんだけど。

とんでもないことになったと思った。この人が私の心に入ってくる。鍵をこじあけてくる。

答えを出すまでの数日間を、久子は慄えながら過ごした。夫の天性のやさしさが、自分に対する愛情のたしかさが、怖ろしくてならなかった。

父と母に打ちあけ、手放しの賛同を得たその夜、久子は庭先で似顔絵を焼いた。くたびれた画用紙の骸が、風にあおられて群青の空に舞い上がるさまを、ぼんやりと見上げていた。

それは貧しい画学生が、クリスマスのイルミネーションのきらめくアパルトマンの窓辺で描いてくれた、二十三歳の女の肖像画だった。

絵を焼いても、久子に恋人の記憶を葬ることはできなかった。

4

聖夜。特別な日。

二千年前の星の降る夜、ベツレヘムの厩《うまや》の中で救世主が生れた。

表参道の欅の枝に、びっしりと飾られたイルミネーションを、夫は初めてカメラを手にした少年のように撮り続けた。

人は二代目の御曹司と呼ぶ。おしゃれで呑気で、いつも笑みを絶やすことのない夫は、たしかに誰からもそう見える。しかし二十代の半ばで譲り受けた事業を、景気の浮沈にかかわらず順調に発展させてきた手腕は並のものではない。

悪意を信じぬ育ちのよさと、決して人に欺されぬ慎重さとが、夫の中にはきちんと調和していた。その信じ難い均衡をあえて説明するのなら、そういうたぐいまれな人物とでも言うほかはない。

「ねえ、チャコ。そこに立ってくれないか。横顔でいいから」

つい今しがたの嘆きを、夫は歩き出したとたんに忘れた。いや、忘れたかのように装っているのだろう。レンズを向ける笑顔に、悲しみの色はなかった。

ひどく疲れているときや悩みごとのあるとき、秘書は前もって電話をよこす。しかし帰宅した夫が、家族の前でそんな様子を見せたためしはなかった。

この人に愛されたのだと、久子は自分に言いきかせた。有難いことだと思う。だが、その自覚とはうらはらに、胸のうちの、不毛の大地を行くような荒寥さはどうしたことだろう。

どれほど愛されても、夫を愛することはできなかった。

行きかう人ごみの中を、夫につかず離れず歩きながら、久子は祈った。

世界で一番信じているこの人を、信じることと同じくらい愛したい。どうかその勇気をお与え下さい——。

心からそう祈ったとたん、久子はふしぎな光景に出くわした。まるでシャンゼリゼの並木道にあるような赤いテントのカフェ。店先の光の下でコーヒーを啜る恋人たちの群の向こうに、大道画家が一列に並んで店開きをしていた。

夫は久子を振り返って、無邪気に微笑みかけた。

「描いてもらえよ、チャコ」

「——やめてよ、悪い冗談」

「描いてもらえって。オフィスに飾るから」

どうしてこの人は、こんなにやさしいんだろうと久子は思った。決して苦悩を避けて通らない。痛みも悩みもすべて微笑みながら、胸の中に抱きとろうとする。

「でも……」

「そこで、コーヒー一杯飲んでるから。その間に描いてもらえよ」

やり過ごそうとする久子の行く手を阻むように、夫は立ち止まってしまった。舗道に並んだサンプルの似顔絵をひとつひとつ覗きながら、夫は久子の肩を引き寄せた。

「どうせなら上手に描いてもらおう。誰がうまい？」

絵を描くことはとうにやめたが、デッサンのうまいへたぐらいはわかる。久子は五人並んだ画家たちのサンプルを見渡した。

最初の絵描きはベレー帽にパイプをくわえたいかにもそれらしいなりで、客に向き合っていた。しかし筆は荒れている。へたではないが、長いこと大道の似顔絵ばかりを描いてきた職人という感じがした。こういう絵はそのとき感心しても、一夜が明ければ見る気にもなれない。

二番目の若い画家はデッサンの基本ができていなかった。手先の器用さだけで描いている。たぶん写真の複写をして似顔絵描きを学んだのだろう。絵の表情が死んでいた。

三番目は黒いコートを着、指先のない手袋をはめた女だった。これは漫画だ。

四番目の若者は予備校生か美大生のアルバイトだろう。デッサンはきちんとできている。彼にしようかと歩き出して、久子は路上に立ちすくんだ。

四人から少し間を置いて、サンプルをたくさん貼りつけた古いイーゼルが目に止まった。いっぷう変わった粗削りな似顔絵だが、これは格段にうまい。

油彩のカンバスがかかっていた。モンマルトルの小径を描いた、ユトリロの模写だろうか――いや、そうではない。構図は同じだが、ユトリロの青空ではなかった。憂鬱な雲の低く垂れこめた、暗い石畳の坂道だった。

「どうぞ、よろしかったら」

と、カンバスの蔭から中年の男が顔を出した。

「似顔絵二千円。五分で描きます」

汚れた軍手をはずして丸椅子の上の朽葉を払い、男は手を止めた。おそるおそる見上げたおもざしに見覚えがあった。

齢をとっていた。とうてい四十五歳には見えぬほどに老けこんでしまってはいたが、まちがいはなかった。

脂気のない疲れた顔を、なかば白くなった髭が被っていた。毛糸の帽子を眉までおろして、男は久子から顔をそむけた。

「どうしたの、早く描いてもらえよ」

と、夫が囁いた。

「恥ずかしいわ、やっぱり。私、齢とっちゃったから」

久子は唇だけで言った。

「うまく描いてくれるさ。それが商売なんだ」

「コーヒー、飲んでてくれる？　五分で終わるって」

「五分？　そりゃむりだろう」

「ううん。この人、とても上手だし」

夫は久子を椅子に座らせると、両肩を抱きながら言った。

「ワイフなんだけど、よろしく。五分じゃなくてもいいから、少し若目にお願いしますよ」

はい、と男は俯いたまま画板を膝に置いた。夫は久子の頭を愛おしげに撫でて、行ってしまった。

凩に頬を嬲《なぶ》られて、久子は目を閉じた。

聖夜。特別な日。きょうは何が起こってもふしぎじゃない。

「すみません、マダム。笑ってくれますか」

と、懐かしい声で男は言った。

久子の造り笑顔が定まるまで、男は鉛筆を弄びながら俯いていた。

「これで、いいですか」

笑顔を造ると、涙が溢れた。

「笑って下さい、マダム。ずっと、笑っていて」

男はときおりちらりと目を上げ、ほとんど久子の顔は見ずに鉛筆を走らせた。

ささくれた、真黒な指が痛ましかった。少なくともそれだけは、琺瑯《ほうろう》のように白く繊細な、あのころのものではなかった。

言葉をかわしてはならないと久子は思った。かわりに、凍えた胸の中で語りかけた。

純ちゃん。

私、こんなに幸せになりました。いま見たでしょう。彼が私の夫なの。あなたよりひとつ齢上。ビルやマンションをたくさん持っている社長さんです。

子供は、高校生の男の子と女の子。二人とも明るくて、勉強もよくできます。男の子は父親に似てぶきっちょだけど、女の子はとても器用です。小さいころから絵の塾に通わせてるの。美術大学に進ませるつもりだけれど、卒業してパリに行きたいと言ったら、もちろん止めます。何から何まで私によく似ている子だから。

ねえ、純ちゃん。

あなたも幸せですか？

好きな絵を二十年もずっと描いてきたのだから、そう思っていいですね。

純ちゃんの今の暮らし、当ててみましょうか。齢の離れた若い奥さん。とても働き者ですね。出版社で美術全集を作っているの。

その人は何年か前にパリに旅行をして、モンマルトルのテルトル広場であなたと出会った。すてきな恋をしたんでしょう。それからしばらく、愛の言葉でうずめつくした手紙のやりとりをした。

奥さんのおなかには、いま赤ちゃんがいます。可愛い男の子。あなたはマンションのアトリエで挿絵を描いて、夕方になるとここにやってきます。もちろんお金のためじゃなくって、昔からの習慣。

あなたの似顔絵はとても上手だから、恋人たちを幸せにします。

春になったら、銀座の画廊で個展を開くのね。「小野純一郎・モンマルトルの哀愁」——あなたのいない時間を見計らって、そっと覗いてもいいかしら。

純ちゃん、私ね、こんなふうに考えていたの。

淋しがり屋さんのあなたのことだから、私に捨てられてぼろぼろになっちゃったんじゃないかって。ごめんなさい、思い過ごしでした。

モンマルトルの安酒場には、どうしようもない芸術家くずれの酔っ払いが大勢いましたね。いくつになっても自分は天才だと思いこんでいる頭でっかちの人たち。

誰かれの見さかいなく議論を吹っかけてきて、言い負かされれば最後は決まってこう言うの。

俺はヴィンセント・ヴァン・ゴッホだ。未来の人間にしか値打ちはわかりゃしないのさ——パレットなんて何年も持ったことないくせに。

あなたはきっとあの人たちの仲間になっちゃったんじゃないかって、私、考えていたの。あなたを信じていなかったわけじゃないわ。そのぐらい、あなたのことが好きでした。

ありがとう、純ちゃん。

二十年も、私の大好きなあなたのままでいてくれて。

日昏れには、いつもテルトル広場まであなたを迎えに行きました。マロニエの葉をすかしてさし入る夕日に手びさしをかかげながら似顔絵を描く、あなたの姿が好きでした。どんなに激しく愛されているときよりも、熱心に絵を描いているときのあなたのほうが好きでした。だから、お客さんがいるときは遠くのベンチに座って、大好きなあなたの姿を見ていたの。絵が仕上がって、あなたが「メルシー・ボークー」と代金を受け取るまで。

あなたはそのときだけ、日本人らしく頭を下げた。きちんと帽子を脱いで、気を付けをして。

純ちゃん。私ね、あなたが誰で、どんないきさつでパリにやってきて、このさき何を考えているのか、ぜんぜん知らなかった。そんなことはどうでもよかったから。

五分の間に一生けんめい似顔絵を描いて、「メルシー・ボークー」とお金を受け取る。心から頭を下げてお客さんを見送るあなたは、少しも卑屈じゃなかった。あなたはあなたの手から離れて行くあなたの絵に、そうして頭を下げていた。

そんな誇り高いあなたが好きでした。

どうかお金持ちの夫のことを、軽蔑しないで下さい。

あなたから見れば、凡庸な人にはちがいありません。それはたしかだと思う。でも、私を幸せにしようとした。その目的のためにはどんな犠牲も惜しまなかった。

ちょっと信じられないでしょうけれど、聞いてくれますか。

あの人はたぶん、私と初めて会ったときから、私の中にいるあなたに気付いていたと思うの。そしてあの人は生涯をかけて、私を幸せにしようと考えた。愛する人の憂いのすべてを拭い去ろうとしてくれた。

有難くて、涙が出ます。

さっき、こう言ってくれました。

君を幸せにするのなら、カメラマンよりもおやじの跡を継いだほうがいいに決まってるもんな――軽蔑しないで、純ちゃん。夢を捨てることがどれほど難しいか、あなたにはわかるはず。あんなに勇敢な男の人を、私はほかに知りません。

でも私は、とうとう言ってしまったの。「それでもあなたのことは、愛していない」と。

いいんだって、それで。

私が彼を愛していようがいまいが、自分は二十年も私のことを愛してきたんだから、それでいいんだって。ありがとう、って言ってくれたわ。

私はずっと、あの人のレンズに背中を向けてきました。それなのに、シャッターを切りながら言い続けるのよ。「君のうしろ姿が好きだ」って。

あの人がお金持ちになったのは、神様がそうしてくれたのだと思う。

わかってよ、純ちゃん。あの人はきっと、あなたがあなたの絵を買ってくれたお客さんにいつまでも頭を下げていたようにね、振り向こうとしない私のうしろ姿に、ずっとずっと、二十年も頭を下げ続けてくれているの。

だからあなたと同じように、やっぱり誇り高い人なんだと思う。

誕生日と結婚記念日とクリスマスには、すばらしい贈り物をくれます。けさ届いたスポーツカーの助手席は、真赤なバラの花で埋まっていたの。カードが一枚ありました。お道化た字で、「こんなものでよかったら」って。

誤解しないでね。あの人にとっては、ベンツもダイヤもホテルのディナーも、みんな「こんなもの」なの。二十年間ずっと私を愛し続けて、もうどうしていいのかわからないのよ。だからいつも、私の造り笑顔を窺いながら言うの。「僕にはこんなものしか、上げられない」って。

ねえ、純ちゃん。

誰にも言っていないことだけれど、聞いて下さい。

あの人の真心を受け取るとき、どうして私が不満そうな表情を隠しきれないのか。ひどい話です。ベンツのキーを渡されても、大きなダイヤモンドを指にはめられても、私、とたんに比べてしまうものがあるの。

あの人と結婚しようと誓ったとき、あなたの思い出を焼きました。そう、あなたがサン・ミシェルのアパルトマンの窓辺で描いてくれた、私の似顔絵のことです。

今さらどうしようもないけれど、あの絵は私にとって、地球と同じくらいの重さがありました。なくなってしまった今でも、その重さは同じです。

あの一枚の肖像画を取り戻せるのなら、私は迷わずにすべてを捨てることができる。

富も、名誉も、親も、子供らも、もちろんあの人さえも。ひどい話だけれど、それが本音です。

お願いよ、純ちゃん。

顔を上げて、こんな私をしっかり見て。

時の流れに抗うこともできず、どんな大きな愛情にも満たされず、永遠にあなたひとりを愛し続けてきた、世界一わがままな、どうしようもない女の顔を。

しっかりと見て、ありのままを描いて下さい。鏡にも映らず、写真にも撮ることのできない醜悪な女の顔を、描いて下さい。

どうして見てくれないの。

あの日と同じように、私の顔を、どうしてじっと見つめてくれないの。

ねえ、お願いよ純ちゃん。ありのままの私を描いて下さい。そうすればきっと——。

5

温かな湯気をたてるコーヒー・カップが二つ、目の前に差し出された。

「やあ、できたね。これで指を温めて下さい。お疲れさま」

男はまばゆげに夫の笑顔を見上げてから、紙コップを受け取った。

尖った欅の葉が、足元を流れて行った。

「寒い日は、たいへんですね。指先がかじかみませんか」

夫はそう言いながら、男の目の高さに屈んだ。

「日本は、暖かいですよ」

男は髭面を歪めて笑った。

「外国にいらっしゃったのですか」

「ええ。ずっと、パリに」

恥じらうように、男は画板を胸に抱き寄せた。

「二十何年もいたんですけど、齢をとって里心がつきました」

夫は伏し目がちにコーヒーをすする男の横顔を、まじまじと見つめた。それから、呆《ほう》けた声でぽつりと呟いた。

「きょうは、特別な夜ですね」

男は目を細めて肯いた。

「はい。クリスマス・イブです」

「奇蹟、ですか？」

夫の問いに、男はしばらく湯気の中で考えるふうをし、他人事のように呟いた。

「いえ。奇蹟ではないと思いますけど。ただの偶然というやつでしょう」

「でも、これは奇蹟ですよ」

と、夫は慄える指先で、男の胸から画板を引き離した。

聖夜の肖像が、久子をおののかせた。

「なあ、チャコ。これは奇蹟じゃないのか――」

そうではないと久子は思った。純一郎の膝に置かれた画用紙に描かれていたものは、二十三歳の久子の顔だった。

初めて目を向けた純一郎を正視できずに、久子は空を見た。おびただしい冬の蛍が聖夜を埋めつくしていた。

「奇蹟じゃないわ――」

この人はずっと私の顔を憶えていてくれたの、とあやうく口に出しかけて、久子は唇を噛んだ。

夫はまっしろな吐息をつきながら、彫像のように動かぬ男を見つめ、久子の思いもよらぬことを言った。

「お仕事中、申しわけありませんけれど、ひとつお願いがあるんです。妻と――チャコと食事をしていただけませんか。僕はそこでコーヒーを飲みながら待っていますから」

純一郎は表情を動かさなかった。夫は舗道に膝をつき、祈るようにもういちど言った。

「お願いします、お願いします。僕はずっと待っていますから。決してチャコを責めたり、話を聞き出そうとしたりはしませんから。しばらく、一緒にいてやって下さい。お願いします」

凍えついた純一郎の瞳から、涙が伝い落ちた。

「それは、やめておきます」

「どうしてですか。せっかく会えたのに」

純一郎は画用紙を夫に手渡して立ち上がった。

「僕は、二十年間ずっと一緒にいたから。毎晩、彼女とは話していましたから」

久子は顔を被って泣いた。こんな幸せの、いったい何が不満だったのだろう。

手早く店じまいをすると、純一郎はイーゼルを脇に抱えて手を差し出した。

「メルシー・ボークー。二千円、いただけますか」

夫はダウン・コートのポケットから財布を取り出した。

「二千円で、いいんですか」

「はい。僕の絵の値段です」

「安いと思うけど」

「そんなものです」

夫は千円札を二枚、画家の手に握らせた。

「きょうは、これで看板です。マダム、椅子を」

久子が立ち上がると、純一郎はひと抱えの店を両手に持って歩き出した。凩がくたびれたコートの裾をひらめかせた。

何かを言わねばならなかった。考える間もなく、久子はきっぱりと言った。

「メルシー・ボークー・ムッシュ」

ありがとう。

立ち止まった横顔が、美しいフランス語を呟いた。

「ジュ・ヴ・ザン・プリ・マダム」

どういたしまして。

「オ・ルヴォワール・ムッシュ」

横顔がにっこりと笑った。聞かねばならなかった別れの言葉を、恋人は言ってくれた。

「オ・ルヴォワール――」と言いかけて、純一郎は満天の灯を見渡した。それからいちど唇をつぐみ、はっきりと言い直した。

「アデュー。さよなら」

うしろ姿を見送ることができずに、久子は夫の胸に顔を埋めた。

「彼に、お礼を言わなくちゃならない」

そう言って歩き出そうとする夫を、久子は押しとどめた。

「やめてよ、あなた。もうやめて」

広くて温かい胸。ただ広くて、温かい胸。それにしても、何と広くて温かい胸だろう。

夫は久子を抱き寄せたまま、光の彼方に向かって深々と頭を下げた。

「メルシー・ボークー・ムッシュ。ありがとう。ありがとう。ありがとうございました」

恋人たちの群と光の洪水の中に、二人はいつまでも立っていた。

もし仮に、年齢の経過が時間とともに加速するものだとしたら、このさきの人生はどれくらいの早さで過ぎて行くのだろう。

歩道橋の上で夫の焚くフラッシュを浴びながら、久子は考えた。

残された時間を、この人のためだけに費やしたとしても、それが償いと言えるかどうか。帰ったら紅茶を淹れて母に訊いてみよう。

「オーケー。きれいだよ、チャコ」

シャッターを切るたびに、夫はそんなことを言って通行人たちの失笑を買う。

歩道橋に駆け上がったとたん、夫はすべてを忘れたかのように笑ってくれた。

フィルムを交換しようとする夫の手を引き寄せて、久子は言った。

「キスしてよ、真ちゃん」

ばか、と夫は笑う。

「ここはパリじゃないよ。恥ずかしいだろ」

久子は伸び上がって、夫のうなじを抱いた。唇を奪い、頬や鼻や顎にところかまわずくちづけをした。

「ねえ、チャコ。この絵、オフィスに飾ってもいいかな。僕は君の若いころを忘れてた。とても彼にはかなわない」

夫の言葉には何の皮肉もなかった。

「いいわ。でもひとつだけお願い」

「なに？　立派な額に入れるのか？」

「そうじゃない。今夜の写真を、並べて飾って」

骨が軋むほど、夫は久子を抱きすくめてくれた。

「並べたら、とてもかなわないよ」

「失礼ね」と、久子は夫の冷たい耳朶《みみたぶ》を噛んだ。

「あのころよりも、ずっときれいだわ。愛された分だけ、きれいになったもの」

言いたいことが山ほどもあった。毎晩少しずつ、この人の愛の言葉よりもさきに言ってあげよう。

でも、きょうはひとつだけ。

「ねえ、真ちゃん――」

「なに？」

夫の肩に顎を乗せて、久子はまっすぐに続く光の道を見た。

「あなたのこと、愛してる。ものすごく」

瞳の中が光に満ちた。

銀色の雨

こんなことをしていてはいけないという気持が、和也の首筋にいつも膏薬のように貼りついている。

そうは思うのだが、ではさしあたってどのようにすれば元の学生生活に戻れるのかというと、方法は何も思いつかなかった。

つい二月前までの和也は、奨学金を受けて新聞販売店に勤める、青少年の鑑《かがみ》のような勤労学生だった。「青少年の鑑」という古くさい言葉は、去年の秋に「高一時代」の記事にとり上げられたとき、取材にきた記者が勝手につけたタイトルだ。大学のキャンパスには学生運動の嵐が吹き荒れ、街にはフーテンだのヒッピーだのというわけのわからない若者たちが溢れる世相の中にあって、たしかに自分は模範的な高校生だったろうと思う。

肩から朝刊の束を提げて、夜明け前のアーケードを走る姿がグラビアにまでなった。

店主も奥さんもご機嫌だったし、いっときは界隈の有名人になって、配達先でもしばしば労《ねぎら》いの言葉をかけられた。

べつにそうした世間の賞讃が負担になったわけではない。だが、いざ挫折して女のアパートに転がりこんでみると、「青少年の鑑」という看板はいかにも不都合だった。

集金の勘定が二千円足らなかったのはたぶん釣銭のまちがいで、店主も奥さんも、和也が着服したのだと言ったわけではない。そう聞こえたのは、自分のいじけた性根のせいだと思う。今から考えれば、店主は金の管理をきちんとしろと、当然の説教をしたにちがいないのだが、和也はそうとは受け取らなかった。

勉強道具と着替えとをボストンバッグに詰めて店を飛び出したのは、朝刊の折り込みに忙しい夜明け前である。

ともかく新幹線に乗って、東京に行こうと思った。学生服の膝を抱え、地下鉄のシャッターの前に座りこんでいると、目の前にタクシーが止まって菊枝が降りた。きょとんと見つめる和也に目配せを送って、中年の客をシートに押し戻す。

「ほら、彼氏が待ってるねん。いけずなこと言わんといて下さい」

客は菊枝の肩ごしに和也を睨んだ。

「なんや、彼氏おるんか……ほな、しゃあないな……」

タクシーが行ってしまうと、菊枝は薄物のドレスの袖を寒そうにさすりながら、和也に笑いかけた。

「俺、菊ちゃんの彼氏やて？　冗談にしても光栄やなぁ」

「助かったわ。きょうはどないしてもうちのアパートに行くいうて、きけへんの。ま、いっぺんぐらいええか、て思たけど、かたぎやないしねえ。ほんま助かったわ――ところで、あんた何してんのん？」

「東京に行こ思て、始発待ってるねん」

「東京？――」

「うん。店主と喧嘩して、飛び出して来たんや。東京の三軒茶屋いうとこにおやじがおるし、ええチャンスやから行ってみよか思て」

「そらまずいわ、和ちゃん。ともかくうちとこおいで。大きなお世話かもわからんけど、話はあんたの考えてるほど簡単やないんよ」

腕を引いて立ち上がらせようとする菊枝の力に、和也は抗った。

「菊ちゃん、俺、おかあちゃんとはもう関係ないよってな。電話したりするのは、大きなお世話やで」

「わかってるて。うちかてとうの昔にお店かわって、あんたのおかあちゃんとは関係あれへんもん。事情はよう知らんけど、ともかく頭ひやさな」

菊枝は思いがけぬほどの強い力で和也の手を引きながらアーケードを歩き、安アパートの建てこんだ路地に入って行った。

中学を卒業するまで、和也は母のもとで暮らした。育ったアパートは地下鉄の一駅先だが、母には男ができて引越してしまったから、和也には実家も故郷もない。母は同じ店で年齢をごまかして働いていた菊枝を、娘のように可愛がって、しばしばアパートに連れてきた。菊枝とは住み込みの新聞少年になってから、ばったりと町で出会った。夕刊の配達がてら菊枝の部屋に立ち寄っておやつにありつくのはほとんど日課になっている。

「おかあちゃんはともかく、うちに相談しよて思えへんかったん、水くさいやないの」

「俺、菊ちゃんにそないな義理ないやろ。自分でまいた種やし」

「義理ねえ――」

と、菊枝はアパートの階段の下で立ち止まり、酒臭い溜息をついた。

「それとも菊ちゃん、俺を見張ってるようにおかあちゃんから言われてるんか」

「そんなことあれへんよ。第一、あんたのおかあちゃんもう水商売から足洗うてはるやないの。それこそ何の義理もないわ」

「ま、そらそうや。妾なんぞになりくさって、人にどうこう物を頼めるわけないわな」

「いやあ、きっついなァ」

「つまりそういうことや。俺もひとりで生きてくし、菊ちゃんにもどうこう相談する筋合いやないやろ――ほな、電車動くまで寝かせてな。菊ちゃんには迷惑かけへんよって」

薄闇で鍵を探る菊枝を、和也は美しいと思った。初めて会ったのは和也がまだ小学生のころで、そのころの菊枝は髪を真赤に染めた不良少女にしか見えなかった。

二十二か三になるのだろう。五年の間に、姿形からはすっかり角が取れ、ちょっと見にはふつうのＯＬに見える。

和也のことを一人前の男と認めていないのだろうか、部屋に入るなり菊枝は、さっさとドレスを脱いで、肌の透けるネグリジェに着替えた。

「菊ちゃん、何や知らんけどきれいになったな。ミナミのアルサロと、キタのクラブのちがいやろか」

背を向けて膝を抱えたまま、和也は胸のときめきをごまかすように言った。

「なに生意気なこと言うてんの。女は齢行ったら誰かてきれいになるんよ。おかあちゃん見てみい、四十ちこうになっても、ずっとナンバー・ワンやったやないの——おなか、すいてんのやろ。いまラーメン作ったげるわ」

腹がくちくなるとたちまち物を考えるのが億劫になって、和也はベッドの縁にもたれたまままどろんだ。

「疲れてんのやろ。ベッドにお入り」

「……いやや。俺、東京に行かな」

「なにあほなことを言うてんの。おとうちゃんには新しい奥さんも子供もおるんやで。ただの迷惑や——ほれ、ズボン脱がな」

「……迷惑かて、俺、ガキの時分からおやじに迷惑なんてこれっぽっちもかけてへんで

「……」

「したら何で今さら迷惑かけるの。はい、おやすみ」

「昼になったら、起こしてや……俺、東京行かな……」

灯りを消すと、レースのカーテンの向こうは藤色の朝だった。背中に滑りこんできた菊枝の体には、したたかな量感があった。

「まずいわ、菊ちゃん……俺かて男やで……」

ぼんやりと眠りにたゆとう体とはうらはらに、鼓動が枕を搏《う》ち始めた。

「じっとしてて。うちが何もかも忘れさせたげる」

「俺、疲れてんのや……眠たい」

「疲れてるときのほうがええんよ」

背中を抱きすくめる菊枝の胸の轟きは、押し寄せる波のようだった。

歪んだガラスごしに、ぎっしりと詰んだ下町の甍《いらか》と、その間をまっすぐに延びるアーケードの青い屋根が見えていた。

菊枝がいったいどういう気持で自分を抱いたのかはわからない。だがともかく、それをしおにまったく思いもかけない生活が始まった。

「カズっ！　ぼやっとすな、ビール持てこい。寿司まだか。一時間も待たせよって、わしが食う言うたんか。早よ電話せえや、政兄ィが腹すかしてます言うたれ」

負けが込んでいるのだろうか、政兄ィはいつになく不機嫌だ。

冷えたビールを持って行くと、年齢不詳の仁王様のような顔で和也を睨む。

「酌はおじさんのほうからせんかい。まったく上下《かみしも》もわからんと、よう給料もらえるな。部屋住みから修業させたろか」

「すんません。アルバイトやし、堪忍して下さい」

「口応えすな。アルバイトかて、丹野組の賭場で働いとるんなら若い衆と一緒じゃ――あ、ポンや。すんまへんな、おじさん。なるたけ先ヅモせんといておくれやっしゃ」

牌を戻しながら、年配の客が笑い返した。

「アルバイトて、そのぼん丹野の若い衆とちゃうんか」

「へえ、おじさん。実は違いますねん。うちのおやじの店におる女の弟なんですわ」

「女て、誰や？」

「菊枝て、知ってますやろ。何でも新聞配達しながら高校かよてたらしいんですが、ゴタゴタして飛び出てきよったんですわ。ほいで、カシラァ、どこぞに夜のバイトないですやろかて、あねきに頼まれましてん」

酌を受けながら、年配の客は珍しげに和也を見上げた。

「菊枝の弟かね。あまり似とらんなあ……高校、どこや」

「はい。府立工業です」

「そうかね。けど、毎晩徹マンに付き合うてたら、学校行けへんのとちゃうか」

政兄ィが横あいから口を挟んだ。

「気ィ回さんといておくれやっしゃ。学校行くか行かんかは、こいつの器量ですやろ。わしなんぞおやじの部屋住みしながらちゃんと高校卒業してますのんや」

「政ちゃんのその話は、もう百ぺんも聞かされたわ。そやけど、ぼんも聞き流したらあかんよ。やくざの部屋住みいうたら、雀荘のバイトとはわけがちがうよってな。そういう努力があったればこそ、政男は百人からの丹野の所帯を切り盛りするまで出世したんや。人間、楽な道を歩いとったらろくな者《もん》にならん」

「――すんません、おじさん。それ、当たりですわ」

「闇テンかいな。ちと持ち上げすぎや、ろくな者やない」

ようやく届けられた寿司を卓に運んでから、和也はレジのうしろで教科書を開いた。

学校はあれからずっと行っていない。保護者は販売店の店主夫婦になっているから、もう行けはしないと思った。奨学金も新聞社の事業だった。そんな境遇を何ひとつ考えもせずに飛び出した自分はあさはかだが、今さらどうすることもできはしない。

甘えていると思う。父も母も自分を捨てたけれど、社会はちゃんと拾ってくれた。中学の担任は何とか高校に行かせるために奔走してくれた。店主も奥さんも、きっと心配してくれていると思う。それに――菊枝のことを考えると、和也はリーダーの教科書を目で追いながら、胸が熱くなった。

菊枝にも自分にも、愛だの恋だのという世事の入りこむすきまはないのだ。はためにはただの同棲生活でも、菊枝が二月の間ずっと自分に飯を食わせ、冷えた足を巻きこむようにして添寝してくれる暮らしの意味は重い。自分はその温もりに甘えていると思う。

「ときにカズ。おまえ学校行っとんやろな」

牌をかきまぜながら、政兄ィが思いついたように言った。背筋を伸ばして、和也は答えた。

「行ってます――」

「もう賄《まかな》いはええよって、ボンボンベッドで寝ェや。七時になったら起こしたるさけ――学問はせなあかんぞ。わしらは高卒でも立派なもんやけど、おまえらの世代じゃ大学行っとらんと箸にも棒にもかかれへんよってな。早よ寝ェ。そんなとこで教科書開いとっても、勉強にはなれへんやろ」

「ほう、政ちゃんが言うとえらい説得力があるなあ。ぼん、幸せや思わなあかんで」

「はい。ならお言葉に甘えさしてもらいます」

和也は戸締りをして、ホールの隅の折畳みベッドに横たわった。毛布を被ると、やくざたちの声が聴こえた。

「カタギの子ォにしては、なかなか口の利き方知っとるやないか」

「苦労しとるみたいですさかいな。新聞配達でも何でも、他人様の飯食うてる者はちがいます」

「いっそ歪くれたったらええのに」

「いやいや。うちはべつだん若い者には不自由しとりませんよって」

「けど、そこいらの暴走族やフーテンのあんちゃんよりは、ずっと筋が通っとるやろ。どや、政ちゃんの二代目に」

「わしの真似などできますかいな。丹野の代紋しょって高校出るて、そない甘いもんやあれしまへんで。なんせ売られた喧嘩もよう買えんのやから。そこらで不良にカツアゲくろたかて、ビビッたふりして金出さなならんのです。俺は男や思うて、チンピラに土下座しいしい学問しますのや。そないなこと若い者にようさせません。できるでけんやのうて……」

和也は毛布の中できつく目を閉じた。体じゅうを錐《きり》で突き回されているような気がした。

おそらく、こういう人情は今さら自分の周囲に降って湧いたわけではあるまい。大勢の人の情けに支えられて、きょうまで生きてくることができたのだと思う。

しかし、ではさしあたってどうすれば元の学生生活を取り戻すことができるのかというと、手だては何ひとつ思いうかばないのだ。

翌《あく》る朝も和也は、学生服を着、何くわぬ顔で雀荘を出た。午前中は公園のベンチで眠り、職にあぶれた立ちん坊たちと一緒にあやしげな屋台のどんぶり飯を食い、それから図書館に行って、小説を読んだ。

「おかえり。また徹夜やったん。週に一ぺんか二へんやいうさかいええ働き口や思うたけど、こんなんやったら体持てへんなあ。カシラに言うてやめさしてもらおか」

六畳の部屋には場ちがいなほど大きな三面鏡に向かいながら、菊枝は紅を引く手を止めた。

「大丈夫やて。徹夜いうても、三時になると寝かしてくれる。ふつうの高校生かて深夜放送聴いてまだ起きてる時間やろ、学校でも俺のほうがよっぽどしゃんとしてるわ」

「へえ。カシラも気ィつこうてくれてるんやなあ。うちはまた、若い衆みたいにコキ使われてるんかて思てたけど――ごはん、ゆうべの残り物でええ？　いまお味噌汁あっためたげるさかい」

「ええよ、自分でやるから。仕度してや」

台所に立とうとする和也の手を、菊枝は払いのけた。

「ええて、菊ちゃん。飯ぐらい自分でするわ」

「ええことないよ。男はんを台所に立たしたら、うちが笑われるわ。わかってへんねえ。和ちゃん、あんたうちの男やで」

菊枝は自分のことを本気で愛しているのだろうかと和也は思った。

そんなはずはない。齢はいくつもちがわないけれども、菊枝は大人の女だ。キタのクラブの客は金持ちばかりだろうし、言い寄ってくる立派な男たちを袖にしてまで、菊枝が自分を愛するわけはないと思う。

「何やきょうはきれいやな。美容院行ってきたんか」

「生意気いうて――」と、菊枝は水をつかいながらしばらく押し黙った。

「あのな、和ちゃん。何いうても怒れへんか」

「べつに……たまには説教ぐらいしてほしいわ」

学校に行っていないことに気付いたのだろうかと、和也は肚をくってベッドに寝転んだ。

「うちな、きょうお見合するねん」

「え？――何やそれ」

うなだれた背を西日が隈取っていた。細いふくらはぎに重ねられた踵の白さを、和也は黙って見つめた。

「相手のあることやけど、向こうが気に入ってくれはったら、当分は面倒みんならんの。和ちゃんはこのままここにいててええんよ。家賃はうちが払うし、たまにはごはん作りにもくるよって」

「何やようわからん。きちんと説明してえな」

「説明せえ言われたかて――」

台所の曇りガラスを見上げて、菊枝は言葉にならぬ溜息をついた。

「うちな、丹野のおとうさんには可愛がってもろてる。カシラからそう言いつかったんやさかい、いやとは言われへんわ。それ以上きかんといて」

鼻歌を唄いながら、菊枝は流しを洗い始めた。

その男が雀荘に現われたのは真夜中だった。

一緒にやってきた政兄ィの言葉づかいや若い者の物腰から、和也はその男こそ菊枝の「見合」の相手だと直感した。同時に一日じゅう考え続けていた菊枝の言葉が、すべて理解できたのだった。

「やあ、降られましたなあ。いよいよ梅雨入りですやろか——こら、おまえらなにボケッとしとるんや。タオル持てこんかい」

奥の卓を囲んだまま直立不動に立ち上がった丹野組の若者たちは、いっせいに男の背中に駆け寄った。

「おまえら席はずせ。カズ、おまえはちょとこい」

若者たちが頭を下げて出て行くと、政兄ィは打ちちらかした奥の卓に、男と和也とを誘った。

政兄ィがトイレを使っている間、和也は男のかたわらに立っていた。カタギには見えないが、大阪のやくざのなりではなかった。齢は三十をいくらか出たほどであろうか、少なくとも政兄ィよりは若い。痩せて背が高く、浅黒い顔に目付きばかりが鋭かった。Tシャツの上に季節はずれの革ジャンパーを羽織ったさまは、とうのたったロックンローラーのようだった。

男は和也の視線をかわして、大げさなリーゼントに櫛を当てた。腕を上げた拍子に、懐から拳銃の把手《とって》が覗いて、和也は息を詰めた。

「ねえちゃんから聞いとるやろ。こちらが岩井のにいさんや。挨拶せえ」

政兄ィは改まった口調で言った。

どこの親分にも居丈高な丹野組の若頭《かしら》が、これほどまでに腰を低める姿を、和也はかつて見たためしがなかった。

「和也です。あねきがお世話になります」

男は答えようともせずに、ショートピースをくわえた。政兄ィがライターの火を差し向けるのを邪慳に押し返して、マッチを擦る。

「わし、ガキに用はないけえの」

唸るような低い声だった。

「いえね、岩井さん。うちとこの若い者はみなサツに面が割れてますよって、こいつに面倒みさしてもらおか思たんですけど……」

「カタギじゃろうが」

と、男は不満げに煙草の火先を向けた。

「へえ。けど、うちとこの若い者よりよっぽど気が利きます」

「カタギじゃタマヨケにもならんぜよ」

品定めでもするように初めて目を向けた男の表情に、和也はおののいた。寡黙で暗鬱な印象は、懐から覗く鋼の拳銃そのものだった。

菊枝はこの男に抱かれるのだと思った。とたんに、考えてもいなかった言葉が和也の口からすべり出た。

「面倒みさして下さい。自分、タマヨケかてできます。何でも言うて下さい」

少し愕《おどろ》いたふうに、男は煙を吐いた。

「政――」

「へえ」

「こんガキ、ねえちゃんが心配なんじゃろ」

「そないに気ィ回さんといておくれやす。悪い遊びも知りまへんし、銭勘定もまちがいおまへん。タマヨケはともかく、事務所との使いっ走りには持ってこいや思います」

「ほんなら、甘えとこか。ヤサに案内せや」

言いながら、岩井はぬっと影のように立ち上がった。

「カシラ、店どないします」

「アホ。こんなもんうちとこの若い者《もん》が何とでもするわい。はよ仕度せい、学生服とか教科書とか忘れんなや。ぼちぼちねえちゃんも店ひけるころやろ」

煙るような雨の路地を出ると、本家のリムジンが待っていた。

マンションはミナミの繁華街に近い大通りに面していた。

七階建ての最上階でエレベーターを降り、外廊下を歩くと、突き当たりのドアの前に菊枝が蹲《うずくま》っていた。メガネをかけぬ近眼の目を細めてぎょっと和也を認める。

「なにビックリしとるんや。名案やろが。へたな若い者よりおまえの弟のほうがずっと気ィ利くやろ。部屋は三DKやし、おまえもカズの心配せんでええやないか。何ではなから気ィつかんかったんやろな、わし天才とちゃうやろか」

「はあ。カシラは天才ですねえ――」

和也に目配せをしながら、菊枝はうんざりとしたふうに言った。

店を出てから、岩井はひとことも口をきかなかった。根が無口なうえに、特徴のある訛を恥じているふうだった。いや、恥じているのではなく、おそらく訛を隠さねばならぬわけがあるのだろう。

「カズ、おまえこの部屋つかえ。誰ぞ来よったら必ずモニターで確認せえよ。ドアチェーンも忘れんとな」

玄関脇の小部屋には夜具が一式と、扉の周囲を映し出すモニターが置かれていた。

豪華なマンションだった。廊下の先には広いリビングがあり、大きな座卓を据えた座敷と、窓のない寝室とがあった。ソファや大型テレビ、鍋釜から食器までが真新しく調《ととの》っている。

「寝室のドアはごついのに替えてあります。電話も引いてありますさかい、万がいちのときは中から鍵しめて電話して下さい。すぐ兵隊よこしますよって」

リビングのカーテンを開け、夜景を覗きながら岩井は不本意そうに言った。

「万がいちて、何のことじゃい」

「へ？……万がいちいうたら、万がいちのことですわ」

「今さらわしを殺《と》ったところでよ、誰の勲章にもならんぜよ。人をさんざ踊らして、勝手に手打ちなんぞしくさって。何が万がいちじゃい」

「そら岩井さん、上のほうで決めたことで……」

「こんなも丹野のカシラならよ、本家に物言うぐらいはできようが。くされ外道《げどう》が三年もドンパチやったあげくに、白黒もようつけられんと手打ちが聞いて呆れるわい」

「ごもっともです。せやけど、広島には勲章なんぞいらんいう鉄砲玉がようけおりますよって、いちおう念のために」

「ふん。元をただせばの、わしもその鉄砲玉じゃい。政、口にゃ気ィつけよ。極道の貫禄はよ、代紋のめかたやないさけの」

「へえ、わかっとりま……」

岩井は立ちすくむ菊枝を押しのけてバスルームに入った。

政兄ィはほうっと肩から力を脱いて、二人を窓際に手招いた。

「あの通り、難しいお人やから、あんじょう頼むで。たしかに万がいちのことはない思うけど、なにせこんどの戦争じゃ三人もいてもうた最高殊勲選手やよってな。問題はサツのほうや」

政兄ィは何となくそれ以上のかかわりを避けるように、札束をテーブルの上に投げ置いた。

「これ賄い賃や。適当に手間はねとけ。足らんかったらいつでも言え。ともかく不自由させんようにな——岩井さん、ほならわし、おやじのとこ寄ってきますから、これで失礼します」

二人は玄関まで政兄ィを送った。

「堪忍してな、和ちゃん。妙なことになってしもうて」

「かめへんよ、俺は。菊ちゃんのこと、ねえちゃんて呼ばなあかんな」

「うちもカズ、言わな」

開け放たれた寝室の、ダブルベッドが生々しかった。

「カシラ、うちに勤めやめさすわけにはいかんから、夜は誰ぞ若い者つけんならん言うてたんよ。まさか和ちゃんとはねえ……岩井さん、お背中ながしましょか」

気を取り直して菊枝がバスルームのドアをノックしたとたん、押し返すように岩井が洗い髪の顔を突き出した。青々とした彫物が手首の近くまで入っていた。

「いらんことすなや。それによ、岩井さん言うな。命いくつあっても足らん」

「ほんなら、何て呼んだらよろしいんですか」

「こんな、わしの女になったのじゃろが。章ちゃんでええわい。おい、カズ、こんなもわしのこと、章次さんて呼べ。どこぞの兄ィみたいにペコペコすなや。ええな」

「はい……」

長い夜だった。壁ごしに伝わる軋みから身をかわして、和也は夜の白むまで雨の降りしきる窓に頭を突き出していた。

高みから見下ろす道頓堀のネオンは、ふしぎと飽きることがなかった。

三人の奇妙な暮らしが始まった。

朝の七時半ちょうどに、菊枝はベッドを脱け出して和也の部屋をノックする。リビングに行くと、朝食と弁当とが用意してあった。

「これから毎日お弁当をもたせたげるさかいな」

そうすることがせめての罪ほろぼしででもあるかのように、菊枝は言った。

行ってきます、とマンションを出ても、相変わらず和也には行くあてがない。ミナミの繁華街には少年課の私服刑事が多いから、まず朝のうちに難波の地下街に行き、コインロッカーに鞄と学生服の上着を入れ、ジャンパーを着た。顔立ちは苦労の分だけひねているから、制服さえ脱いでしまえば補導をされる心配はなかった。

賄いの金を預かっているので懐は温かい。映画を観たりパチンコをしたりして時間をつぶした。弁当はたいてい、髙島屋か大丸の屋上で食べた。そのときだけ、いくらか嘘の痛みを感じた。

三時を過ぎると、また難波の地下街に戻って学生服に着替えた。マンションに帰る。

菊枝は夜の身仕度を始めており、岩井はソファに寝転んでテレビを見ている。部屋でひと寝入りすると、菊枝が出がけにドアを叩く。

「ほな、カズ。あと頼むわな、なるたけ早よ帰るよって。戸締り、気ィつけてや」

そのとたんから、和也の「仕事」が始まるのだった。

岩井章次の生活は判で捺《お》したように単調で、正確だった。もっとも全国指名手配中の身の上なのだから、自然そうなるほかはなかった。

岩井は菊枝が出て行くのを見計らったように、拳銃の手入れを始める。一時間もかけてすべての部品をバラバラに分解し、油をしみこませた布でていねいに拭い、また組み立てる。

「それ、何ていうチャカですか」

「コルトじゃ。コルト・ガバメント。米軍の制式銃ぜ」

「へえ……」

「わし、若い時分にの、自衛隊におったんよ。姫路の特科ちゅう、昔でいや砲兵での。そこで射撃教わった。そのころから、ずっとこのコルトじゃ」

組み立てをおえると、小指の先ほどもあるごつい弾丸を拭い、弾倉におさめる。

「タマ、一発だけですか」

「ああ。みな捨てた。もう人殺しはたくさんじゃ」

どうして一発だけ残してあるのだろうと、和也は想像をめぐらして鳥肌立った。

「さあて、出かけるかの」

内ポケットに拳銃を入れて立ち上がる。岩井が季節はずれの革ジャンパーを着ている理由がわかった。四五口径の大型拳銃は、背広や薄い上着には収まらないのだ。

和也の仕事は昼間の菊枝と同様、ともかく岩井から離れぬことだった。いざというとき「タマヨケ」になってしまうかどうかはべつとして、常に周囲に目を配り、地理に暗い岩井の道案内をし、いつでも丹野組の事務所に駆けこめるように、距離と方向とを測っておくことだった。

夜の街に出てすぐに気付いたことだが、岩井はお尋ね者であるにもかかわらず、少しも怯えるふうがなかった。無頓着に人ごみを歩き、交番すらも避けようとはしなかった。

戎橋筋《えびすばし》の洋品店に入って手あたり次第に買物をし、和也に勘定を払わせて、恥ずかしいぐらいの大袋を持たせた。

「わし田舎者じゃけえ、センスわるかろう」と言いながら、隣の喫煙具店のショウ・ウィンドウを覗きこむ。

「ライター、買いはりますか」

岩井は玩具を物色する少年のように額をガラスに押しつけた。

「これ、政の持っとったのと同じじゃろ。格好ええの」

「カルチェです。いま、はやっとるんです。買いはりますか」

「十万もするのか。高いのう」

「金なら預かってますから、買いましょ」

「いや、格好はええが、わしは好かん」

店内に入って、岩井が足を止めたのは壮大なジッポーのコレクションの前だった。しばらく真剣に眺めてから、岩井はぽつりと呟《つぶや》いた。

「わし、これがええな。どうじゃ」

「安物ですよ。オイル・ライターやし、使い勝手も悪い。章次さんには似合わん思いますけど」

「いやや。わしこれがええ。センス悪いさけ、選んでもらうかの」

和也は鷲が翔《はばた》く図柄のついたものを選んだ。

「ほんまにこんなんでええんですか」

「すぐに使うけの、包まんでええ」

店を出て和也からライターを受け取ると、岩井は嬉しそうにショートピースをくわえた。ネオンの灯り始めた裏路地に入り、ブロック塀に背をもたせかけて火をつける。

「喫うか」

「自分、タバコやらんのです。まだ高校生ですから」

「ほう。まじめじゃの」

「喫茶店、入りましょう。人目につきますから」

岩井は動こうとはしなかった。ジーンズのポケットに両手を入れ、梅雨空を見上げてぼんやりと煙草を吹かす。まるでジェームズ・ディーンのようだと、和也は思った。

「あの、章次さん。けったいなこと聞いてもよろしいですか」

「ええよ」

「なに聞いても、怒らんといて下さいね」

「まわりくどいやっちゃのう。わしは怒らんよ。生れてこのかた、怒ったことなぞないきに」

肩を並べてそうしているだけで、和也の胸は高鳴った。この人は、何でこんなに格好がいいのだろう。

「章次さん、三人もとらはったて、ほんとですか」

煙草をくわえたまま、岩井は唇の端を歪めて笑った。

「人聞きの悪いこと言うなや」

和也はなかばホッと胸を撫で下ろし、なかば失望した。

「嘘やったんですか」

「嘘やない。タマとったのは、五人じゃ」

「え……五人？」

「わし、嘘はつかんでの。二十一のとき、チンピラぶち殺して五年打たれた。仮出所してまたやったんじゃけど、正当防衛いうことで六年ですんだ。ようやく出てきたところが、この戦争よ。おえんのう……なんぼ極道の喧嘩じゃいうても、こんどこそ死刑じゃろ」

和也は返す言葉が思いつかずに、ブロック塀に背をもたせかけたましゃがみこんだ。二本目のピースをつけ回して、岩井も膝を抱えて蹲《うずくま》った。何だか二人して雨の路地に追いつめられたような気分だった。

リーゼントの髪に細い指をさし入れてしばらく考えるふうをしてから、岩井はふいに言った。

「こんな、菊枝の弟じゃなかろう」

心臓を鷲摑みにされたような気がした。

「なに言いはりますねん、いきなり……」

ジーンズの膝が、こつこつと和也の腿を叩いた。

「わし、超能力者じゃあないぜよ。菊枝が言うたわけでもないがの。ゆんべ、おめこしたとき気付いたんじゃ。こんな、菊枝の男じゃろう」

和也は膝の間に顔を埋めた。重大な嘘がばれたというのに、少しも恐怖を感じないのはなぜだろう。ただ恥ずかしくて、和也は顔を上げることができなかった。

「おえんのう。わし、みなに迷惑かけちょる」

「そんなこと、ありません……」

ようやくの思いで、和也は言った。自分の良心が、岩井の口を借りてそう言っているような気がした。

「サツが仲立ちして、戦争は手打ちになったけど、こうなってみりゃわしは厄介者ぜよ。丹野の親分も、カシラも、みなわしを生かそう思うてくれちょる。どうしたもんかのう」

ちがう、と和也は思った。政兄ィはたぶん、岩井が殺されるか捕まるかするのを待っている。そうでなければ、もっと気のきいた若い衆を岩井につけるはずだ。いやもしかしたら、日ごろ付き合いのいい政兄ィのことだから、警察ともとっくに話はついているのかもしれない——想像が確信になって、和也の体は押しとどめようもないほど慄え出した。

おそらく、岩井は和也の異様な興奮を誤解した。煙草を水溜りに投げると、女のように細く神経質そうな掌で口を被い、くぐもった声で岩井は呟いた。

「許してつかあさい。わし、こんなのおなごに、手ェつけてしもた」

それは人を殺すよりもいけないことなのだろうかと、和也は思った。

「なに言うてますねん、章次さん。自分も菊ちゃんも、承知の上のことです」

岩井は怯えている。体を支えていた芯が折れてしまったように、背を丸め、顔を被って岩井は涙声になった。

「わし、死ぬのが怖いんじゃ。死ぬことがどれぐらい痛うて苦しいかは、よく知っちょるもの」

「しっかりして下さい。自分みたいなガキにそんなこと言わんといて下さい」

「こんなが、カタギじゃから言うんよ。カタギの高校生じゃから」

雨足が強くなった。和也が腕を握って立ち上がらせようとしても、岩井は膝を抱えこんだまま、そこを動こうとはしなかった。


ただでさえ気の滅入るような梅雨の数日が過ぎた。

あの日以来、和也と岩井の間に会話らしい会話はなくなった。たぶん岩井は悪い酒を飲んでいたのだろうと、和也は思うことにした。そう考えることで、いびつな生活をとにもかくにも平穏に過ごそうとしたのだった。

相変わらず岩井は、菊枝が店に出るのを見計らって拳銃の手入れを始め、それから和也と街に出て、丹野組の息のかかった安全な店で、正体のなくなるまで酒を飲んだ。夜は寝室のベッドに入ろうとせず、テレビをつけたままソファで眠った。

和也と菊枝も、ほとんど言葉を交わさなかった。家の外は蓋をかぶせたような雨空で、三人は三様に毎日をふさぎこんで暮らした。

その晩、酔い潰れた岩井に肩を貸してエレベーターを待っていると、小窓のカーテンを開けて管理人が手招いた。

「今さっき、けったいな人が訪ねて来よりましたで。こちらに岩井章次さんいう人いてるかって」

和也は愕いて岩井の腕を取り落とした。

「おっちゃん、何て答えたんや」

「そら、丹野のカシラに釘さされてますさかいな、知らん言いましたけど」

「ヤクザ者やなかったか」

「そうは見えまへんでしたな。いや、ちがいまんな。こないなマンションの管理人なごうやってますさかい、ヤクザかカタギかは百発百中でわかりますのや」

岩井は乱暴に和也の手を引き寄せた。

「ほっとけ。しょうもないこっちゃ」

「せやけど章次さん――」

管理人はかかわりを避けるように小窓を閉めかけて、もういちど和也を手招いた。

「わしの勘やけどな……サツやないか思うんやが。中まで入らんと、相棒がもひとり外におりましてん。この雨やし、ふつうなら入ってきよりますやろ。入ってこんのは、たぶんわしに面が割れてるからやないかて、思たんですけどな。わし、所轄のデカならたいがい知っとるから」

真暗な雨の夜だった。

部屋に入ると、和也は寝室に駆けこんで受話器を取った。

「いま事務所に電話します。とりあえずここ出な」

「ほたえな。ここ出てどこ行くんじゃい」

岩井は缶ビールを飲みながら、ベッドに腰を下ろした。

「どこ行ったらええか、カシラに聞きます」

「やめとき。これ以上丹野はんに迷惑かけるわけにはいかんぜ。マンション貸しておなごをあてごうただけなら、大したこともないじゃろ」

「せやけど、何かあったら電話せい言われてます」

岩井は和也の手から受話器をもぎとった。もしかしたら、自分が想像しているのと同じことを、岩井はすでに確信しているのではないかと和也は思った。そのぐらい、丹野組からも政兄ィからも、音沙汰がなかった。

受話器を置いたとたん、けたたましく電話が鳴った。

「もしもし」

わしや、と政兄ィの声が耳に飛びこんで、和也はベッドを振り返った。岩井はまるでその声の主を予測していたように、ビールを飲みながら片目をつむって見せた。

〈菊枝、帰ってるか〉

「いえ、まだですけど」

〈店は出とるから、じきに戻る思うけど――岩井、そこにおるか〉

政兄ィは岩井の名を呼び捨てた。とっさに、和也は嘘をついた。

「酔い潰れて、寝てはります。何か」

〈ほんならちょうどええわ。菊枝が戻ったら、二人でそこを出え。アパートに帰って寝

とれ〉

「……どういうことですか、カシラ」

〈じゃかぁしい。言われた通りにすりゃええんじゃ。そうせんと、おまえらも持ってかれるど。ええな、すぐにそこを出え〉

電話は投げ置くように切られた。いったいどうすればいいのだろう。壁にもたれてビールをあおる岩井と目が合ったとたん、和也はベッドの下に膝を揃え、両手をついた。

「何さらすんじゃい。男が声あげて泣くほどのことか」

「自分、章次さんのことを、だますつもりはなかったです。せやけど――」

「もうええよ、カズ。早よ去《い》ね。政はそう言うたんじゃろうが」

「自分、章次さんのこと好きです。尊敬してます。逃げて下さい、これ」

和也は賄い銭の詰まった札入れをベッドに置いて、もういちど頭を下げた。

「ガキが、格好つけよって」

と、岩井は札入れを蹴り落とした。

「人殺しを尊敬するアホがどこにおる。早よ去ね」

「いやや。俺、章次さんにいろんなことおせえてもろたです。章次さんは俺の先生やから、先生を捨てて行くことなんて、ようしません」

「わし、こんなに何か言うたかの」

ふしぎそうに、岩井は和也を見つめた。算えてみればわずかな日々であるのに、この人と何年も暮らしたような気がするのはなぜだろう。たしかに交わした言葉は少なかったが、父や母や学校の先生よりも、この人は多くのことを自分に教えてくれた。

どうしても忘れられぬことがあった。

「章次さん、俺に許してつかあさい言うて頭下げはりました。人のおなごに手ェつけてしもた言いはりました。俺、ずっと考えました。俺、おとうちゃんやおかあちゃんや、俺のこと心配してくれた中学の先生や、学校行かしてくれた新聞屋のおじちゃんやおばちゃんや、それと――それと、菊ちゃんのこととかも、みんな忘れてました。俺、ひねくれんやから、誰にも頭下げんと、勝手ばかり言うてました。自分勝手ばかり言うて、ごめんなさいもおおきにも言わんと、生きてきました。章次さんは、俺を大人にしてくれはりました」

岩井はベッドの上に大あぐらをかいたまま、浅黒い顔を歪めた。

「なんや、こっちが説教されとるようじゃが……のう、カズ。こんな、大人になるのはええけど、極道にはなるなや」

「はい。わかってます」

「わかっとらんぜよ。菊枝が言うとったぜ、こんなは学校に行っとらんようじゃて。なして行かんの。なして菊枝にまで嘘ばつきよるの」

和也は答えることができなかった。そして、黙りこくるうちに、挫折の理由を初めて知ったのだった。それは決して自分自身の境遇ではなかった。

「もっと、叱って下さい。俺、ガキの時分から叱られたことなかったんです。おとうちゃんもおかあちゃんも、学校の先生も、みんなやさしかったけど、俺のこと気の毒がって誰も叱ってくれんかったんです。せやから俺——」

「もうええよ。早よ去《い》ね」

と、岩井は和也の声を遮った。

「菊枝も帰ってきよったようじゃし、とばっちりを受けんうちに、二人して去ねや」

濡れた髪を拭きながら、菊枝が立っていた。和也は足元に這い寄って懇願した。

「警察が来るんや。章次さん、もう逃げも隠れもせえへん言うんや。一緒に逃げたってえな。な、菊ちゃん」

菊枝はハンドバッグを足元に落とすと、和也を見下ろしてこともなげに呟いた。

「それはでけへんよ、カズちゃん」

「何でや。こわいんか」

「そうやないよ。うち、丹野のおとうさんを裏切ることでけへんもの。カシラがそう言いはるんやから、しゃあないわ。なあ章ちゃん、あんたはうちの立場、わかってくれはりますな」

岩井は黙ってビールを飲み乾し、煙草をくわえた。

「こんなは、ええおなごじゃの」

ふいに菊枝はレインコートを脱ぐと、ブラウスのボタンをはずした。

「どないするねん、菊ちゃん」

「子供はあっちの部屋へ行き。これから懲役かける男はんに、お祝いせなあかん」

「やめや、菊枝」と、岩井は声を荒らげた。

「やめや言われましても、うちはあんさんの女ですさかいな。筋だけは通さしてもらいます。こら、早よ出ていかんかいな、いけずな子ォやね」

和也は廊下に蹴り出された。厚いドアの向こうから、しばらくの間二人の言い争う声が聴こえたが、やがて夜の沼のような静けさがやってきた。


道頓堀のネオンが滲《にじ》んでいる。

和也は窓辺に身を乗り出して、降りしきる雨を見ていた。雨粒は銀色の縫針のように輝きながら、寝静まった街路に吸いこまれて行く。

壁ごしに伝わってくる菊枝の呻き声にも、ベッドの軋みにも、和也は耳を塞ごうとはしなかった。

初めての夜のときのように、獣の営みを感じることはなかった。ただ、菊ちゃんも章次さんも、気持ええやろか、と思った。

やがて気配は静まった。和也は胸の中で、この安息の時間が一秒でも長く続くようにと祈った。

二人はしばらく眠ったと思う。

すっかりひとけの絶えた銀色の雨の底に、数台の車が止まった。ワゴン車からは、ヘルメットを冠り、楯を持った警官隊が降りた。

「あかん、来よった……」

窓に錠を下ろし、玄関の鍵とドアチェーンとを確かめる。寝室をノックして、和也は小声で言った。

「章次さん、来よりましたけど」

ドアを開けた岩井は、すでに身仕度を整えていた。

「菊枝にも言うてあるけえが、こんなもサツに訊かれたら、余分なことは言うなや。丹野のカシラに脅されて、いやいやわしの面倒みちょりました言え。ええな」

和也を押しのけて、岩井は廊下の奥へと歩き出した。右手にはコルトが提げられていた。

「なにしはるんですか。やめて下さい」

「菊枝とベッドにもぐって、耳ふさいどれ。じきにすむけえ」

岩井の決意を押しとどめる勇気が、和也にはなかった。廊下とリビングルームを隔てるガラスの扉を閉めると、岩井は鍵をかけ、ソファを積んだ。

おろおろと振り返る。菊枝はシーツを体に巻きつけたまま、ぼんやりと乱れたベッドに座っていた。

「菊ちゃん、止めてえな！　章次さん死んでまう。あのチャカ、タマ一発だけ入っとるんや。人殺しはもうたくさんやて、一発だけ入れてはった」

菊枝は髪の根をまさぐりながら、細い体を畳むように息をついた。

「知ってるよ……大丈夫や、ほら」

開かれた掌には、一発の弾丸が載っていた。

「どないしよ思たけど……章ちゃん、許してくれるやろか」

チャイムが鳴り、玄関の扉が激しく叩かれた。

「開けたって。うち着替えんならんさかい」

廊下に出ると、すでに扉は合鍵で開けられ、チェンソーが唸りを上げて、鎖を断ち切ろうとしていた。

「開けんかい、こら！」

「いま開けますから、待って下さい」

言い終わらぬうちにドアチェーンは火花を上げて落ちた。楯を持った私服刑事が怒鳴った。

「抵抗すな！　岩井おるやろ、観念せいや！」

拳銃を構えた警官隊がなだれこんだ。

「奥におられますから、手荒なまねせんといて下さい！」

ガラス扉がハンマーで砕かれた。

「岩井、神妙にせえよ！　もう囲まれとるぞ」

和也は警官の手を振り払ってリビングルームに駆けこんだ。

冷えた風が頰を嬲《なぶ》った。ひきちぎられたカーテンを部屋の中央に敷いて、岩井は叱られた子供のように正座していた。


膝の前に置かれた拳銃を靴先で蹴りとばすと、刑事は屈みこんでカーテンをつまんだ。

「何のつもりじゃ。首洗ろて待っとったんか。ははあ、おんどれ自殺しよ思てビビったんか。だらしないやっちゃのう」

静かに首をもたげた岩井の目の前に、刑事は逮捕状を突き出した。

「フダや。午前三時二十五分、逮捕。ええな、容疑は殺人、銃刀法違反、ならびに略取誘拐や」

岩井はいちど肯いてから、ふしぎそうに呟いた。

「誘拐て、何じゃろ。わし身に覚えないけえが」

「四の五の言わんとけ。女子供拐《さ》ろて脅かしとったやろが。捜索願が出されとる」

若い刑事が和也の腕を摑みながら、容疑者の逮捕と被害者の保護を、無線で伝えた。

「おおきに、ありがとさんです」

と、岩井は頭を垂れた。

「何も礼を言われることやない。どや岩井、大阪のヤクザ者はすることが垢抜けとるやろ」

「へえ。おそれ入ります。女子供はわしが脅しとったですけえ」

ちゃうよ、と和也は声にならぬ声を上げた。

「俺、誘拐なんかされてへん、俺——」

「ガキは黙っとらんかい」

と、刑事は和也を遮った。

「ほれ、見てみい。おまえのおかあちゃんとな、新聞屋の店主さんと、もひとり、おまえが勝手に転がりこんでた雀荘の経営者な——何て読むんじゃ、カクタかカドタか、その角田政男いう人からとな、三通も捜索願が出されとるで。ま、よう頑張ったわ。怖かったやろ、ケガないか」

刑事は和也の口を封ずるように、強い目で睨みつけた。

開け放たれたベランダを、岩井は振り返った。

「いっそ飛び下りちゃろか思うたんじゃが……旦那、タバコ一服つけさしてもらえますかの」

「ええよ。先に手錠《ワッパ》うつで」

刑事が自分の手と相手錠につなぐのを待って、岩井は左手でピースを抜き出した。ジッポーで火をつける。煙を吐きながら、岩井は鷲の翔く図柄を、しげしげと眺めた。

「これ、格好ええでしょう。あのガキからぶん取りましたん。誘拐のうえに恐喝じゃあおえんですけえ、いま返してもええですかの」

刑事が肯くと、岩井はライターを和也の胸元に投げた。

「ほな、行こか」

「へえ。お手数おかけします」

「さすが大兄ィの貫禄やな。相手錠が重たいわ」

「手柄話にして下さい。これで長い戦争も終わりですけえ」

和也は腕を目に当てて泣いた。物心ついてからいちども人前で泣いたことなどなかったのに、章次さんはどうしてこんなに俺を泣かせるんやろ、と思った。

ドアを開けると、ネオンに照らし上げられた夜空を、銀色の雨が縫っていた。まるで映画のスクリーンに歩みこむように、岩井は外廊下に出た。

「章次さん！」

「なんじゃい」

「おおきに。ありがとうございました。俺、章次さんのこと一生忘れません」

和也は精いっぱい男らしく背筋を伸ばした。

「俺、面会に行きますから。章次さんの好物のお好みとか、タコ焼とか、ぎょうさん持って行きますから」

「ややこしいことすな」

と、岩井は雨を見上げた。

「そうじゃ。雨に降られた思え。しばらくは気色悪かろうが、じきに夏が来るぜよ」

キザな文句に照れて、岩井は肩ごしに振り返り、にっこりと笑った。

パトカーのサイレンが去ってしまってからも、何人かの刑事と鑑識とが残ってしばらく家捜しをした。

「ちょっと待っててえな。署まで行って事情きくさかいな」

もうどうでもいいような口調で、若い刑事が言った。

暗い窓辺に佇んで、和也と菊枝は夜の雨を見ていた。

「俺な、新聞屋に帰ろ思うんやけど」

菊枝は睫毛を伏せて微笑んだ。

「店の人に、詫び入れられるの。ねえちゃんや言うて、一緒に行ったげよか」

「ええよ。それより、ときどきアパートに寄らしてもろてええかな」

菊枝はうなだれてしまった。いったい何が気に障《さわ》ったのだろうかと、和也は言葉を思いたぐった。

「あのなあ、和ちゃん――」

洟《はな》をすすって、菊枝は形の良い横顔を夜空に向けた。

「雨に降られた思てくれへん？」

どう答えればよいのだろう。返す言葉は思いつかなかった。

「ようわからん。わかれへんけど――」

俺、菊ちゃんのこと、前よりも好きになってしもたんやと、和也は言おうとした。

琉《リウ》璃《リイ》想《シアン》

1

虎坊橋という地名はおぼろげに憶えていた。

そこは南新華街が騾馬市《らまし》大街と珠市口《しゅしこう》大街を東西に分かつ、いかにも北京の下町を感じさせる十字路だった。

時刻は午後の七時を回っているが、あたりはまだ明るい。腕時計を見ながら、もしや空港で一時間の時差を修正するとき、時計の針を逆転させてしまったのではないかと紅《くれ》林龍一《ばやしりゅういち》は怪しんだ。

「降りるなら早く降りてくれって言ってます。どうしますか?」

カメラマンの西岡が運転手の言葉を代弁した。

「ここはタクシーの乗り降り禁止で、見つかると免許証を取り上げられるそうです」

人民元をひったくるように受け取ると、運転手は虎坊橋の交叉点を振り返りながら客を急《せ》かせた。

街路には余熱が淀んでいた。いったい日中はどれほどの暑さだったのだろう。八歳まで育った北京に、夏の暑さの記憶はなかった。

「このあたりですか？」

たちまち噴き出た汗を拭いながら、西岡が訊ねた。

「さあ——わからんね。ただ虎坊橋という名前は知っている。フー、ファン、チァオ。支那語ではたしかそう言った」

なぜそんなことを憶えているのだろう。住居を訊ねられたとき、日本人に対しては「こぼうきょう」、支那人には「フー・ファン・チァオ」と答えた。だとすると、八歳まで暮らした家はこの近くにあるということになる。

「撮っておきましょう」

カメラを構える西岡から、紅林は顔をそむけた。

「ここはやめておこう。とても絵になる場所じゃない。風景だけおさえておいてくれないかな。あとで何か思い出すことがあるかもしれない」

「じゃあ、記念に一枚——」

「何の記念だね、ばかばかしい」

紅林は交叉点に向かって歩き出した。重い撮影器材を音立てながら、西岡が追ってきた。

「あの、すみません、社長。つまらないこと言っちゃって」

「いや、べつに怒っちゃいない。暑いな、それにしても。風がまるでない」

社内報のグラビアに「帰郷」と題する企画を提案したのは他ならぬ自分自身である。香港返還を契機にして急速な自由化の道をたどるであろう中国の首都が、実はワンマン経営者の故郷だという事実は、社内にも業界にもほとんど知られてはいない。商社との契約が切れ、いよいよ来年度からは大連の現地法人が始動する。中国から良質の羊毛生地を買い付けることは積年の懸案だった。

「いざ撮影となると気が引けるね。自分の過去を売り物にするようで」

西岡は答えに窮している。やはり空港に出迎えた準備室の社員を同行させるべきだったと、紅林は悔やんだ。部下の目がないほうが自然な絵になるだろうという妙な理由をつけて、カメラマンと二人きりでタクシーを拾った。

「考えてみればプロの仕事に注文をつけるのはいいことではないね。思った通りに撮りなさい」

はい、と西岡は少年のようににっこりと笑った。

こんないい笑顔を持った男は、今どき珍しいと思う。陽に灼けた腕は彫像のようにたくましく、無精髭がまるで企《たくら》まれたもののようによく似合う。年齢は三十八ということだが、老練さは少しも感じられなかった。若々しい印象は長いこと中東やアフリカの戦場を駆け回っていたせいかもしれない。

「ところで、言葉はどこで習ったんだね」

虎坊橋の交叉点で並びかけると、西岡は拳ひとつもちがう肩を、こころもちすくめた。

「習ったわけじゃないんです。天安門事件のときに週刊誌の取材で来て、しばらく足止めをくいましてね」

それだけで中国語が堪能になるはずはない。つまりそれをきっかけにして中国での仕事が増えたということなのだろうが、西岡は多くを語らなかった。

「カメラマンとしては、大きな武器だね」

「いえ。仕事はいい写真を撮ることですから、関係ないです」

信号が変わると、西岡は「失礼します」と言って駆け出し、横断歩道を渡る紅林に向かってシャッターを切った。

「危ないぞ。車、車」

「オーケー、大丈夫です。カメラを意識しないで下さい」

シャッター音はいちいち肌に刺さるようだった。自分で提案した企画なのだから、この痛みには笑って耐えねばならない。

十字路の角がガードレールで仕切られた広場になっており、近在の老人たちが手に手に赤い布を持って踊っている。さしずめ日本でいう盆踊りのようなものなのだろう。だとすると紅林が子供の時分にも同じならわしはあったのだろうが、記憶にはなかった。

ガードレールに腰を預けて汗を拭いながら、紅林は目をつむった。華やかだがどこかうら淋しい胡弓の音色。鐘鼓の響き。やはりそれらの囃子《はやし》も、記憶にはない。

思いあぐねて、紅林は虎坊橋の街並を振り返った。風景が一枚の紗をかけたように霞んで見えるのは、湿気に汚れた眼鏡のせいではない。西の砂漠から運ばれてきた黄砂が、大気を濁らせているのだ。

「咽《のど》をやられますね。ぬるいですけど、どうぞ」

西岡がミネラルウォーターのボトルを差し出した。

「空気が濁っているな。撮影に支障はないかね」

「多少はあります。でも冬場に比べれば、夏はずっとましですよ」

「黄砂が降るのは春先じゃなかったかな」

「そう、春は一番ひどいですね。でも、この黄砂というやつは、うまく撮るとけっこうロマンチックなんです」

この中国の都は、実は砂漠の中に造られたオアシス都市なのだと、何かで読んだことがあった。いや――もしかしたら、子供のころ誰かに聞いたのかもしれないが。

「西岡君――」

バッグの中ですっかりぬるま湯になってしまったミネラルウォーターを咽に流しこんで、紅林はどうしても訊かねばならぬことを切り出した。

「水野君とは改めて挙式をするのかね」

ガードレールに並んでミネラルウォーターを飲みかけ、西岡は少し答えをためらった。

「――そういうことは、よそうと思って。おたがい若くはないし」

「若くないって、君、初婚だろう？」

「ええ。でも三十八と三十五ですから。今さら三三九度というのも、何だか」

紅林は微笑を繕った。婚期を過ぎた秘書と朴訥なフリー・カメラマンの結婚を祝福しなければならない。

「彼女から、お聞きになってらしたのですか」

「ああ。実はつい四、五日前に食事をしてね、そのとき聞いた。いや、びっくりしたな。君もまんざら知らぬ人間ではないし、水野君はかれこれ六年も僕の世話をしてくれているしね。で、付き合いは、いつから？」

鐘鼓の響きが癇に障って仕方がなかった。水野康子が答えてはくれなかったことを、紅林はさりげなく訊ねた。

「ほんの半年ぐらい前からです。このグラビアの企画が出て――」

「打ち合わせをするうちに急接近、というわけか」

紅林は西岡の言葉を遮った。男の口から細かな経緯を聞きたくはなかった。

「申しわけありません」

と、西岡は潔く詫びた。

「べつに謝ることではあるまい。男と女の仲に、職場の上司は関係ないよ」

「あの、社長。もしかして、彼女が同行しなかったのは何かそれと関係があるのですか」

声を立てて作り笑いをする自分の老獪さが、情けなかった。

「まさか。どうしても居残ってもらわねばならない仕事があったんだ。べつに君を品定めしようなどという気はないよ。安心したまえ」

人垣のすきまから、紅林は老人たちの踊りの輪を見た。赤い布を両手にかざして悠然と踊る男女は、およそ自分と同年配か年かさである。もし生家がこの近くにあるのだとしたら、彼らは幼なじみなのかもしれないと思った。

（ほんの半年ぐらい前、か……）

西岡に背を向けると、紅林の笑顔はたちまち凍《こご》えた。

その半年の間に、水野康子のマンションには何度行っただろう。何十回、康子を抱いたのだろう。ともかくその間、自分はまったくそうと気付かずに、この屈強な男と康子の肉体を共有したことになる。

康子が二人の男を手玉にとるほどのしたたかな女でないことはよく知っている。おそらく五年間の生活を清算して新たな人生を踏み出す決意を、口にすることができぬままに半年の時間が流れてしまったのだろう。

北京への撮影旅行が数日後に迫った晩、康子は食前酒に口もつけぬうちに顔を被ってしまった。そして――紅林の夢にも思わぬ、怖ろしい告白をした。

ごめんなさい。私、きょうのきょうになって、あなたの悲しむようなことを言わなければなりません。愕《おどろ》くと思うけど……私、お付き合いしている人がいます。はい。もちろん大人のお付き合いです。あなたもご存じの人。カメラマンの西岡真也さん。すみません。いえ、お部屋には来たことないです。それはいけないことだと思ったから。本当です。

言いわけさせて下さい。私、あなたのことが嫌いになったわけじゃありません。愛していると思う。でも、つらいんです。あなたはこの五年間、一日おきの奥様のお見舞を欠かしたことがないし、ご病気がよくなるのを心から願っている。いえ、私を愛して下さっているのはわかります。それは……わかります。

とても、つらかった。二十九で秘書になって三十のときにこういうことになって、それはそれで幸せでしたよ。べつに後悔はしていません。でもね、でも……やっぱりつらいですよ。

お見舞のあと、あなたは車を帰して、タクシーに乗って私の部屋に来る。奥様の足をさすった手で、私を抱く。そんなあなたのやさしさが、つらくて仕方なかった。

あなたは決して過去を語らないけれど、どのくらいご苦労をなさったかはよくわかります。生意気なようだけど、愛した人のことって、わかるんです。

勝手ばかり言って、ごめんなさい。私、西岡さんと結婚します。本当はね、あなたと一緒になりたかったけど……どっちがわがままだろうって、ずいぶん悩みました。

でもやっぱり、奥様を捨てて私と一緒になって下さいとは言えない。それだけは口がさけても言えなかった。だからね、西岡さんがものすごく真剣に私を誘ってくれたとき、俺、なりゆきは嫌いだよ、水野さんのこと好きだよって言ってくれたとき、べつに西岡さんのことは好きじゃなかったけれど、好きになろうって決めました。ごめんなさい。

私の悩みなんて、あなたとあなたの奥様のご苦労に比べたら、ちっぽけなものです。八つか九つで中国から引き揚げてきたあなた。何ひとつ過去は語ってくれなかったけれど、それは言わないのではなく、忘れているんでしょう？

忘れ去らなければ、きっと生きてこられなかったのでしょう？

私、ひとつだけ聞いたことがあります。あなたの過去を。

そう。あなたがキーホルダーにしている、古い鉄砲の玉。どうしてこんなものを持っているんだろうって、あなたは首をかしげた。ひとりぼっちで中国から引き揚げてきたとき、小さな手にずっとその鉄砲の玉を握っていたって。

あなたが忘れてしまったものを、私があれこれ考えても始まらない。でも、あなたが眠ってしまったあと、私は何度もそのキーホルダーを眺めました。八つか九つの子供が、たったひとりで貨物列車に乗って、輸送船に乗って、見知らぬ祖国に帰ってきたんです。軍隊の毛布にくるまって、途中からは裸足だったのに、ずっとその鉄砲の玉だけは握りしめていたって、言ってましたよね。

温かなベッドの中であなたの寝息を聞きながらその鉄砲の玉を見つめていると、涙がこぼれました。

この鉄砲の玉はあなたの苦労を知っている。裸足の少年が半世紀もかかってビルを建てた。そんな立派な人を、愛しているからという理由だけで私のものにしようなんて、わがままですよ。

ごめんなさい。言いわけかもしれない。

つらくて、切なくて、どうしようもなかった。私なりに悩んだ末のわがままを、どうか聞いて下さい。

私、西岡さんと結婚します。

あなたを愛することは、もうやめます……。

2

「ホンターレン！」

ふいに踊りの輪の中から、老婆が素頓狂な声を上げた。

皺だらけの瞼をまん丸に瞠《みは》って、老婆は早口で何かを言いながら、紅林に近寄ってきた。

「お知り合い、ですか？」

西岡が腕を引いた。

「いや。まさかそんなはずはないよ。何と言っているんだね」

「びっくりしてるみたいです。ひどく懐かしがっているようだけど……」

年齢は紅林よりずっと上だろう。人ごみをかき分けてやってくるのを、仲間の老人が引き戻した。

「ホンターレン！」

もういちど老婆は両手を挙げて叫んだ。老人たちが踊りの輪の向こう側に連れ戻す。

「ぼけてるんでしょうかね。仲間の人たちが宥めています。人ちがいだよ、おばあさん、って」

老婆はふしぎそうに紅林を見つめながら、また踊りの輪に加わった。鐘と銅鑼《どら》の響きがひときわ耳を被い、物悲しい胡弓の音が胸を貫いた。老人たちの手にした赤い絹が、目の前に翻る。

（ホン・ター・レン？）

老婆はたしかそう言った。心の中の真黒な闇に、宝石のような光が灯った。

「なあ、西岡君。あのばあさん、いきなり何て言った。何か言いながら、こっちに近付いてきただろう」

「さあて……人ちがいでしょうけれど、懐かしそうでしたね、何だか」

「ホン・ター・レン、と言わなかったか。たしか二度、そう呼んだような気がする」

「ホン・ター・レン、ですか？」

言ったとたん、西岡は目を丸くして愕いた。

「ホン・リン、のホン、ですか」

「そう。紅林は支那語ではホン・リンだよ。紅林の日那、つまり紅大人《ホンターレン》さ」

「へえ……どういうことでしょうか……あのおばあさん、心当たりはないですか？」

老婆は左手を腰に当て、右手で赤い布を振って踊りの輪を進みながら、ときどき紅林を振り返っている。ぼけているふうはなかった。

「心当たりもなにも、僕が北京にいたのは八歳までだ。あのばあさん、いくつかな」

「七十ぐらい、でしょうか」

「うん。だとすると、はたち前の娘だったことになるけど、それにしても六十になった僕などわかるわけはない。考えすぎだな」

心の闇に灯った火は消えなかった。

（ホン・ター・レン）

懐かしい響きだった。遠い昔に聞きなじんでいた音。たとえば銅鑼の音や胡弓の調べや、降りそそぐ黄砂や、街に漂う八角の匂いと同じように、たしかに遠い昔、自分の暮らしの中にあった、ホン・ター・レン。

「少し歩こうか、西岡君。日が翳ってしまったけれど、大丈夫かな」

「かえって、いいんじゃないでしょうか。たそがれの北京の裏町。タイトルにふさわしいですよ」

「帰郷――、か。しかし、何ひとつ思い出せないんじゃ、故郷も何もあったものじゃない」
虎坊橋の風景を舐めるように眺めながら、紅林は歩き出した。舗道にひしめき合う建物はどれも古い。街路樹は槐《えんじゅ》の古木である。夏は涼やかな葉蔭を作り、冬はすっかり葉を落として、黒い骸骨のような枝だけになる。夏は暑く、冬の寒さが厳しい北京に、槐の街路樹は欠かせなかった。

この風景はおそらく、半世紀前とどこも変わってはいないのだろう。

「君は、八歳の記憶はあるかね」

「八つというと、小学校の二年か三年ですか。あまり憶えていませんね。遠足とか、運動会とかそういう楽しいことでしたら、何とか断片的に」

「写真を見れば思い出すだろう」

言ってしまってから、紅林はみじめな気持になった。当り前のことだが、子供のころの写真は一枚もない。

「それがですね、ちょっと家庭の事情があって、子供のころの写真は一枚もないんです」

自分が西岡の口を借りてそう言ったような気がして、紅林は立ち止まった。

「ほう。君の齢にしては珍しいね。変なことを聞いてしまったかな」

「いえ、べつに恥ずかしいことじゃありませんから、かまいませんよ」

西岡はさりげなく言ったが、恥ではないにしろ心の傷であることは明らかだった。ゆっくりと歩き出しながら、西岡は無理に笑った。

「父親がひどい飲んだくれでしてね、細工物の職人だったんですけど、手が慄えて仕事もできなくなっちゃって、夜中に火を出したんです」

「へえ、火事かね」

「頭がおかしくなってたんでしょうね。仕事場で急に暴れ出して、ストーブを蹴とばしたらしいんです。メッキの薬品とか、油とかいっぱい置いてあったのでひとたまりもなかった――あれ、いいのかな、撮影中に自分のことなんかしゃべって」

「僕はかまわんがねえ……」

おそらく記憶の底に封じこめていたことなのだろう。堰《せき》を切ったように、西岡は続けた。

「下町の長屋ですから、たまりませんよ。あっという間に両隣まで丸焼けになっちゃって。二階で寝ていたおふくろと妹がね――」

「もういいよ。すまなかった」

なりゆきとはいえ、ひどいことを思い出させてしまった。

二人の足どりは自然と重くなった。

「水野君は、そういうことを知っているのかな」

「まさか。あれ、何でしゃべっちゃったんだろう。すみません」

「いや、こちらこそ。それより、そういう肝心な話はだね、つれあいには先に言っておいたほうがいいよ」

「はあ……そんなものですか。でも、いやだな」

いい男だと、紅林は思った。

「悪い記憶は、年齢とともに淘汰されてしまう。だから若いうちに、女房には聞かせておいたほうがいいんだ。僕は、家内と知り合ったころ、訊かれても答えなかった。苦労をしたのだと思われるのがいやだったからな。ところがそのうちに、みんな忘れてしまった。人間の頭なんて、都合のいいものだよ。いやな記憶はどんどん忘れてしまう」

紅林はたそがれの虎坊橋を振り返った。幼いころ、遊び回ったはずの町の風景は何ひとつ憶えてはいない。故郷を訪ねたのではなく、ただの異邦人だ。

「あの、社長。ひとつだけ、くさい話をしてもいいですか」

苦笑しながら、西岡は肩から提げた器材を揺すり上げた。

「康子はね——あ、すみません。水野さんは」

「いいよ、いいよ。康子でいい」

康子の名を呼び捨てられたとき、紅林はほんの一瞬、つき上げるような怒りを感じた。目をつむり、唇を嚙んだかもしれない。

「君たちのことに関しては、僕は第三者だからね。気にしなくていいよ。どうぞ、くさい話の続きを」

「はい。ほんとにくさいんだけど、あいつ、死んだ妹と同い齢なんです」

まるで言葉を濁すように、西岡は声を立てて笑った。

「ちっともくさくはないよ。泣かせるじゃないか」

「あれえ、俺、何でこんなことまでしゃべってるんだろう――社長のおっしゃったこと、ものすごくよくわかるんです。もう、みんな忘れちゃってるんですよ。生れた家の様子とか、家族の顔とかもね。思い出そうとしても思い出せないくらい。でも、三つちがいの妹がいたってことだけは憶えている。中学を卒業して専門学校に入るまでずっと施設で育ったんだけど、新しい子供がやってくるたびに、妹じゃないかってね。焼け死んだんじゃなくて、どこかで生きていて、ひょっこり兄貴の前に現われるんじゃないかって」

「それがとうとう、ひょっこり現われたというわけか」

思わず口に出してしまってから、紅林は年甲斐もなく嫉妬している自分を恥じた。

「初めて仕事ぬきで食事をしたとき、そんな気がしたんです。もちろん勝手な思いこみですけど」

「思いこみも甚だしいな」

「そうですね。でも、僕はずっと自分の身の上に理不尽を感じていた。僕は何も悪いことしてないですから。アフリカとか中東とかの戦場に出かけたのも、功名心からじゃないです。本当は仕事だとも思っちゃいなかった。流れ弾に当たって死ねればいいと思ってたんです。最低の人生だと思っていたから。それで――」

「それで？」

紅林は西岡のためらいを遮って、話の先を促した。黄砂に冒された咽を鳴らし、西岡はいまいましげに咳《しわぶ》いた。

「思いこみですよ。食事をしながらなにげなく齢を聞いたとき、妹が生きていたんだと思うことにした。だから、不純な恋だと思います。僕だってカメラマンのはしくれですから、死ぬための仕事なんてしたくはないです。こいつと一緒になれば、仕事のための仕事がちゃんとできるなと思った。うまく言えないけど、こいつと同じ家で生れて、こいつと一緒に育ってね、そういう過去が俺にもちゃんとあるんだって、そう思いこむことにしたんです。だから俺の過去なんて――康子に言えるはずはないです。もちろん、あいつの過去も聞きたくはないし」

「咽が痛むね」

紅林は手に提げていたミネラルウォーターの蓋を開け、歩きながら飲んだ。

「目も痛い。ここはひどいところだ」

瞼をハンカチで押さえた。嗚咽を嚙み殺すと、頭の芯が痛くなった。

康子は、自分と同じ男の匂いを嗅ぎ分けたのかもしれない。だが紅林を泣かせたのは、そんなことではなかった。

妹がいた。天津に向かう鉄道の無蓋車の中で、土砂降りの雨に濡れながら息を止めてしまった妹がいた。

名前は――そう、たしかルリ子と言った。瑠璃色の、ルリだ。

前門《チエンメン》の駅までは荒縄で背負い、やっとの思いで潜りこんだ貨車の上で、兵隊が投げこんでくれた軍隊毛布にくるんだ。急な引き揚げで、父母の写真すらも持ってはこなかった。着のみ着のまま、無理なことはやめろと引き止める支那人の手から妹を奪って駅に向かった。じきに八路《パーロ》軍にかわってソ連兵がやってくる。そうしたら日本人は皆殺しになるのだと、誰かが言っていた。

天津の駅で、ずっと妹の亡骸《なきがら》を抱いていた。八路の兵隊がやってきて妹を取り上げるまで、何日もそうしていた。聞きづらい南の支那語で、その兵隊は言った。

この饅頭を、おまえの妹ととりかえよう。妹は食えないが、饅頭は食える、と。そして亡骸をていねいに胸に抱き取ると、もうひとこと、わかりやすく言ってくれた。

死んだ人間のことは忘れろ。そうしなければ明日という日はやってこない。永遠に、やってこない。

兵隊は亡骸を抱いたまま振り返りもせず、雨の駅頭に消えてしまった。立ち上がって、妹の名を呼んだ。呼び続けて声が嗄《か》れてしまうと、風のような息を吐きながら泣いた。

そう――ルリ子という名前だった。

五つちがいだったから、あのときは三歳だったことになる。自分と同じように、この北京の下町のどこかで生れ、三年の間、黄砂にくるまれて生き、そして故国に帰る鉄道の無蓋車の上で、冷たい雨に打たれて死んだ。

あれからの十年を、どうやって生きたのだろう。ともかく、死んだ人間のことは忘れて生きた。だから明日という日は、毎日やってきた。

十八のとき妻とめぐり逢った。押し売りまがいの行商をしていたころだ。仕入れ先のメリヤス工場に、集団就職をした娘だった。

西岡の不器用な告白は、妻と出会ったころの紅林の気持と容易に重なり合った。天津の駅で八路の兵隊に抱き取られたあのとき、妹はまだ生きていたのだと思うことにした。その妹が、たとえば記憶を喪《うしな》い、過去を取りちがえて、たまたま自分の前に姿を現わしたのだと。

そう思いこむことで紅林は孤独の恐怖から救われ、どこにもぶつけようのない理不尽を忘れ去った。妻を愛し始めたその日から、忘れるための努力をしなくとも、過去は自然に遠のいていった。まるで陽に晒《さら》された写真のように、心はまっしろな紙に返っていった。

「向こう側に渡ってみようか。どうもあっちのような気がする」

頭では忘れ去っているのに、体が憶えていた。

南新華街から斜めに切れこんで行く小道。その奥に生家があるのだと、体が教えていた。

「あれはたぶん、大柵欄《だいさくらん》に抜ける道だと思いますよ」

「大柵欄？――ああ、そうだ。前門大街に突き当たる」

またひとつ、記憶の闇に灯がともった。

北京の大街は東西と南北に延びている。それらを蜘蛛の巣のように繋ぎ留める胡同と呼ばれる路地も、たいがいは東西と南北に引かれている。虎坊橋と大柵欄の二つの盛り場を斜めに繋ぐ道は特徴的だった。

「そうだ、そうだ、この道をまっすぐ行くと、大柵欄を通り抜けて前門大街に——」

通りを渡ろうとして、紅林の足は止まった。

北京の夏を思い出した。槐の木蔭に喧《かまびす》しく蟬の鳴く、暑い夏。風は死に絶え、刃物のような陽射しがうなじを灼いた。

ぐったりとした妹を引きずるようにして、あの道を走った。大柵欄の商店の前に止めてあった荷車から荒縄を失敬して、妹を背負った。前門大街を北に行けば北京駅で、そこにたどりつきさえすれば、見知らぬ祖国に帰れるのだと思った。

「あの道の名は？」

西岡はバッグの中から地図を取り出した。

「ええと、五道街ですね。少し行くと二股に分かれます。桜桃斜街と鉄樹斜街。どちらもまた合流して、大柵欄に続いています」

地名は記憶になかった。紅林は眼鏡をはずして地図を覗きこんだ。

「ここです」

五道街。ウー・タオ・チェ。

支那語の音は思い出せる。

「ともかく行ってみようか」

クラクションを鳴らし続ける車の波をすり抜けて大街を渡る。

暗い色の煉瓦に被われた五道街は、夏の夕まぐれにひっそりと、その入口を開いていた。

3

今晩はどうなさいますか、と康子はほとんど手を付けずに済ませてしまった食事のあとで言った。

「どうするかと聞かれても困るね。まさかこんな話のあとで、君のところに行くわけにはいかない。何だか尻切れとんぼのような別れ方だが、仕方ないね」

「荷物があるんですけど」

「背広と靴ぐらいは、少しずつ会社に持ってきてくれ。あとのものは処分してもらっていい――ああ、そんなことより住いを考えなければならんだろう。どうするんだね」

「それは、私がどうこう言えることじゃないですから――」

康子は肩をすぼめて俯いた。

「西岡君は？　結婚の約束をしたのなら、計画ぐらいはあるだろう」

「ありのままを言って、いいですか」

「もちろん」

年齢は親子ほど離れている。子供のいない紅林には、娘を嫁に出す父親の気持などわかりはしないが、せめてそんなふうに考えねば話は進まぬだろうと思った。

「西岡さんは、私のところにきてもいいって。彼、一間のアパートだから」

「君は、いやじゃないのかね」

康子は顎を振った。

「いやじゃないです。いい思い出でしたから」

「いい思い出でも、新しい暮らしを始めれば、いやな思い出になる――よし、じゃあこうしよう。あのマンションは売りに出して、買い替えればいい。むろんその後のローンは君たちで賄《まかな》ってもらわなければ困るがね」

「損しちゃいますよ。あのマンション、高いころに買ったから」

康子は几帳面な性格だった。感情と金銭とを秤にかけることができるのは、それなりに苦労をしてきた証拠だ。いい妻になるだろうと紅林は思った。

「いつも言っているだろう。物事には優先順位をつけなければ、何も決まらない。君たちがこのさき気分よく、いかに幸せになるかがこの場合の第一位。ちがうかな」

「何だか、会議みたいですね、社長」

康子は瞳を潤ませたまま、哀しい花のように微笑んだ。

「怒らないんですか。私、すごく叱られると思った」

「会議だったら、激怒するね。忠実な部下が僕の与《あずか》り知らぬところで勝手なまねをしていた。ことの良し悪しにかかわらず、それは罪だからな」

「罪、ですね。そう。おっしゃる通りです」

「おいおい。会議だったらの話だよ。これはプライベートな出来事だ」

目が合うと、康子はたまらずに口を被ってしまった。

「――ごめんなさい。私、もう理屈は言わないわ。ふつうの幸せが欲しかったの。あなたのことを愛しているけど、誰から見てもふつうに見える暮らしが欲しかったの。本当はそれだけなんです。父や母にも、会社の同僚にも、秘密は持ちたくなかった。私、嘘が嫌いなんです」

康子はハンドバッグを開けて、美しい筆字で書いた辞職願を差し出した。これも仕方のないことだろう。男と女でなくなるよりも、康子が自分の世界から消えてしまうことのほうがつらかった。

「北京は、どうしましょうか」

さしあたっての問題はそれだろう。北京への出発の日が迫るにつれ、康子は追い詰められていったにちがいない。

「せめて半年前に、はっきり言ってくれればねえ。まあ立場はわからんでもないが」

まさか秘書とカメラマンなのだと割り切って、旅に出るわけにはいくまい。そうかと言って、急遽カメラマンを交代させるのは不自然だ。

「君は残りなさい。西岡君と二人で行くよ」

「それでは申しわけないです」

と、康子は強い口調で言った。

「北京で、私の口からすべてを話そうと思っていたんです。西岡さんにも、社長にも」

「だめだめ。何を言ってるんだ。西岡君には一生、口がさけても言ってはいけない。過去のことを語らない、訊ねない。それは夫婦の間の鉄則だよ——ああ、僕なら大丈夫。心配せんでいい。ずっとこの鉄面皮で世の中を渡ってきた」

笑いながら、ズボンのポケットの中でまじないのようにキーホルダーをまさぐっていた。赤銅《あかがね》の弾頭と真鍮の薬莢でできた、鉄砲の玉だ——。

五道街に歩みこんだとたん、ポケットの中で弾丸を握りしめていた。

五十二年もの間、ずっと肌身はなさず身につけているこれは、いったい何なのだろう。

闇市で出会った見知らぬ復員兵が、危険だからといって装薬を抜いてくれた。若い時分は金の鎖を付けてペンダントにし、キーホルダーに改造したのは妻が入院してからである。二人の家政婦は通いなので、家の鍵を持たねばならなくなった。

弾丸を指先でまさぐりながら、康子の部屋の鍵を返し忘れていることに気付いた。道楽者と言われぬ程度に人並のロマンスはあった。しかし、六十歳という年齢を考えれば、もう二度と女の部屋の鍵を持つことなどあるまい。

改まって鍵を返したくはなかった。康子にしてみれば男と別れる手順のひとつに過ぎないだろうが、自分にとってはこれを一期《いちご》に男を返上する儀式だ。いっそ紫禁城の濠にでも投げ捨ててしまおうかと紅林は思った。

「少し撮らせていただいてよろしいでしょうか。とてもいい絵です」

「どうぞ」

と、紅林は先に立って歩き始めた。西岡のシャッター音が背に刺さる。

五道街はじきに二手に分かれた。右が鉄樹斜街、左が桜桃斜街。生れ育った家はどっちなのだろう。

「鉄樹って、何のことでしょうね」

「蘇鉄だよ」

考えもせずに答えてから、自分はなぜそんなことを知っているのだろうと思った。

「桜桃はサクランボのことだね」

「どっちへ行きましょうか」

「さあ――どちらもまったく憶えはないんだが、蘇鉄かサクランボかと迫られたら、サクランボだろう」

桜の樹のかわりに、低い槐の枝が胡同の夕空を被っていた。長い時間に歪められた煉瓦の窓から、濃密な夕餉の匂いが溢れてくる。鴇色《ときいろ》の薄絹を張ったように、風景はふしぎな赤さだった。

「いいね、この色は。夢のようだ」

立ち止まって槐の葉むらに昏《く》れなずむ故郷の空を仰ぎ見る。横顔を西岡のレンズが狙い撃った。

「ポーズをとらなくていいです。自然に歩いて下さい」

「自然に歩けと言われてもねえ……」

西岡は器材を鳴らしながら、紅林の周囲を動き回った。二台のカメラを武器のように操りながら、フィルムを替え、レンズの交換をする。隙のない戦場カメラマンのフットワークだった。

このたくましい体が、康子を抱いた。

そう思ったとたん、紅林は初めてレンズの呪縛から放たれ、勝手に動き出した。

「オーケー。いいです。最高です」

皮肉なものだ。でき上がった写真を見たくはなかった。

桜桃斜街。

古い町の呼び名が甦った。支那人に住いを訊かれると、「インタオシエチェ」と答えた。

小声で呟いてみた。「桜《イン》」は平らかに、「桃《タオ》」と「斜《シエ》」は尻上りに、「街《チェ》」はやや口をすぼめて。

「インタオシエチェ――」

美しい音楽のようなふるさとの言葉を、唇が憶えていた。

記憶の空洞から、少しずつ生れ育った町が姿を現わした。夏のたそがれどき、人々はそれぞれの家の前に椅子や縁台を出して夕涼みを始める。赤や紫のぼんぼりが軒に吊され、棕櫚《しゅろ》の団扇が老人たちの手にゆったりと翻る。

「大丈夫ですか、社長」

ファインダーから目を離して、西岡が不安げに訊ねた。

顔色が変わっているのかもしれない。汗は水のように冷え、一歩ごとに膝頭が慄えた。懐かしさも好奇心もどこかに消えてしまった。ただ、怖ろしい場所を歩いていた。ここは、生きるために記憶から消し去らねばならなかったほどの、怖ろしい場所だ。

「日本《リーベン》？」

幼な児が小声で訊ねる。

「對《トェ》。日本人《リーベンレン》」

団扇を使いながら、祖父らしい老人が答えた。

「他們照着相呢《ターメンジャオジャシアンナ》」

「不要妨碍《ブーヤオファンアイ》。他大概是偉人《ターターガイシーウエイレン》吧《バ》」

紅林は足を止めて、老人と孫に微笑みかけた。どうしたことだろう。二人の交わした会話を、考えるでもなく聞きとることができた。美しい北京語を、耳が憶えていた。

少年は、「写真を撮ってるよ」と言った。

祖父は、「じゃまをしちゃいけない。きっと偉い人だ」と、孫の手を引いたのだ。夏の夕暮れどきには、自分もこんなふうにして父母と夕涼みをしたのだろうか。

またひとつ、悲しい思い出が甦った。妹を産んですぐ、母が死んだ。重い事実のほかには、記憶のかけらすらなかった。それからの数年間を、自分はこの胡同でどのように過ごしたのだろう。

老人は帆布を張った寝椅子に肥えた体をもたせかけながら、はにかむように微笑を返した。ふと、団扇を使う手が止まり、老人は笑顔を改めて椅子から身を起こした。

「紅大人《ホンターレン》？」

ひやりとした。西岡も愕いてカメラをおろした。

「まただ。どうなってるんだ」

「紅大人、って言いましたよ」

「啊《アー》！　紅大人。是紅大人《シーホンターレン》！」

老人は立ち上がりかけてよろめき、孫に腰を支えられた。

いきなり紅林の掌を両掌で摑み、老人は声を上げながら体じゅうで歓喜した。西岡があわてて中に入った。

「認錯人吧《レンツォレンバ》。老爺《ラオイエ》」

人違いですよ、おじいさん、と西岡は言った。老人はいちど掌を放し、赭《あか》ら顔を歪めてじっと紅林を見つめた。

「請把眼鏡摘下来吧《チンバイエンジンジャイシアライバ》……」

身ぶりをまじえて、眼鏡をはずしてくれませんか、と老人は言った。

「何て言ってるんでしょう。早口で聞きとれない」

「眼鏡をはずしてくれ、って」

西岡はふしぎそうに紅林を見た。

「中国語、わかるんですか？」

「思い出したようだ。自分でもびっくりしている。この人の言うことがみんなわかる」

紅林はおそるおそる金縁の眼鏡をはずした。赤いぼんぼりを背にして、いっそうぼんやりと霞んだ老人の顔がとたんにほころんだ。

「不、不是那様《ブシーナーヤン》！　您是紅大人《ニンシーホンターレン》！」

いやいや、まちがいない。紅大人だ。

老人は両手を挙げて叫ぶと、紅林の体をがっしりと抱きしめた。

「紅大人《ホンターレン》、難為您回来了《ナンウエイニンホエイライラ》！」

なすがままにされるほかはなかった。いったい自分の身の上に、何が起こったのだろう。

「何て言ってるんですか？」

おろおろととまどいながら、西岡が訊ねた。

「とても喜んでいる。よく来てくれた、と」

いやちがう。您回来《ニンホエイライ》――よくぞ帰ってきた、と老人は言った。

正確な意味に思い当たったとたん、紅林の胸は熱くなった。そう、自分は北京に来たのではない。帰ってきたのだ。

老人は体を離すと、不自由な片足を曳きながら路上の人々に向かって手を振った。

「喂《ウエイ》！　紅大人《ホンターレン》、従日本回来了《ツオンリーベンホエイライラ》！」

おーい！　紅大人が日本から帰ってきたぞ！

老人の声に呼び寄せられて、家々の軒先から、胡同の奥から、大勢の人々が集まってきた。

「喂！　喂！　紅大人、従日本回来了！」

思い出さねばならない。葬り去った記憶のすべてを、喚起させねばならない。

「どうなっているんですか、いったい」

西岡の肩ごしに、紅林は鴇色の町を見た。灰色の煉瓦で組み上げられた下町。どうして自分は日本人街に住まず、この町に生れ育ったのだろう。支那人の子供らと遊び、支那語ばかりを話していたのだろう。

「ここは、時間が止まっているんだな」

「え？――どういうことですか」

「いや、何もタイム・マシンに乗ったわけじゃないよ。あの日のままなんだ」

思い出したことがある。自分はこの町で、「小紅《シアオホン》」と呼ばれていた。「紅大人」は父の呼び名だ。

「あのじいさんは、僕をおやじとまちがえている。虎坊橋にいたばあさんも、たぶんそうだ。僕の父は、たしかに紅大人と呼ばれていた」

紅林は顔を被った。悲しみを押しのけて、悔悟の涙が溢れた。

忘れなければ生きることができなかった。だが故郷を忘れ、父母の顔すらも忘れ、腕の中で息を止めてしまった妹の名前さえも忘れてまで、自分は生き続けなければならなかったのだろうか。男として、これほど恥ずべき人生はあるまい。忘却の対価として富と名誉とを得た自分は、卑怯者だ。

「おとうさんは、立派な方だったようですね。みんなが憶えている」

西岡の大きな掌が肩を支えてくれた。

「わからない。わからないよ。おやじのことは何も憶えていない」

いつも藍色の支那服を着て、帽子を冠っていた。丸い色眼鏡をかけていたと思う。

「おやじは、日本が戦に敗けたとたん姿をくらましたんだ。僕と妹をここに置き去りにして、どこかへ行ってしまった。何も、憶えてはいない」

怨み続けていた――と言いかけて、紅林は口をつぐんだ。

4

「不可以《ブクーイー》！　小紅《シアオホン》、別走了《ビエゾウラ》！」

小紅、行っちゃいけない。どうしても日本に帰るというのなら、あんたひとりで行きなさい――馬太太《マータイタイ》は妹を寝台の上でかばいながら声を荒らげた。

もうじき長城を越えてソ連兵がやってくる。日本人は皆殺しにされるんだ、と紅林は地団駄を踏みながらわめいた。

小さな四合院の中庭に、葡萄がたわわな房をつけていた。夏も終わりだったのだろう。妹を抱き取って中庭に出たとき、馬太太が丹精こめて作った葡萄を、今年は食べることができないのだと思った。

母が死んでから、馬太太は実の孫のように二人の兄妹を育ててくれた。父はほんの何日かに一度、様子を見にくるだけだった。天津と北京と大連とを忙しく行き来する商人だということのほかには、何も知らなかった。

「不可以《ブクーイー》、小紅《シアオホン》！　別走了《ビエゾウラ》！」

いけない、いけないと叫びながら、馬太太はあとを追ってきた。四合院の壁を丸くり抜いた月亮門《ユエリアンメン》を飛び出して、紅林はほんの一瞬、生れ育った家を振り返った。

「不是《ブーシ》。小紅《シアオホン》、不可以《ブクーイー》……」

纏足《てんそく》の小さな足を石畳にとられ、馬太太は葡萄棚の下に蹲《うずくま》っていた。紅林は自分と妹を今日まで育ててくれたやさしい支那人の老婆に、言うにつくせぬ思いのたけをこめて、「再見《ツァイチェン》、馬太太《マータイタイ》」と言った。

二度と再び会えぬことはわかっていた。だが、仕方がなかった。

見知らぬ祖国に帰らねばならなかった。駅に向かう引揚者たちの群を縫いながら、紅林はずっと背にした妹を励まし続けた。

「ルリ子、日本に帰るからな。これから汽車に乗って、船に乗って、日本に帰るんだからな」

「爸爸《パアパァ》は？」

生れついて体の弱い妹だった。手足は蠟のように白く細く、小さな顔に二重瞼の瞳だけが魚のように大きかった。母に似ていたのかもしれない。

「爸爸は、どこかに行っちまった」

「どこか、って？」

「ロスケと戦をしに行ったんだ」

「にいちゃんは、どこにも行かないよね」

「ああ、どこにも行くものか。にいちゃんはおまえを連れて日本に帰る。しっかり摑まってろ」

可愛い妹だった。支那人のやさしさと日本の女の我慢強さを小さな体の中に併せ持っていたと思う。

だから土砂降りの無蓋車の上でも、空腹も苦痛も訴えず、一枚きりの軍隊毛布の中に兄の体を引き入れようとした。

紅林はずっと妹の上に被いかぶさっていた。うろ覚えの桃太郎の話を聞かせた。

「――そのとき、大きな桃が川の上のほうから、どんぶらこっこ、どんぶらこっこ――」

同じ話をくり返し聞かせるうちに、妹は笑わなくなった。

「ルリ子？――」

息が止まっていた。

平和な北京で、紅林は死というものを知らなかった。だから天津の駅についてからも、ずっと妹の亡骸を抱いていた。ときどき通りすがる日本人から水をもらい、飲み下せるはずもない水を口うつしに与えた。妹は息も忘れるほどの深い眠りに落ちているのだと思った。

八路の兵隊がやってきたのはそんなときだ。

死んだ人間のことは忘れろ。そうしなければ明日という日はやってこない。永遠に、やってこない。

そうだ。妹の亡骸を抱き取って立ち去るとき、もうひとこと、きっぱりとこう言った。

「忘了《ワンラ》。忘了。忘一切了《ワンイーチエラ》！　忘得一干二浄《ワンダイーガンアルジン》！」

すべてを忘れろ。すべて、すべて、何もかも、だ――。

きっとあの兵隊は、ひどい戦をしてきたのだろう。大きな掌で紅林の坊主頭を揺すりたてながら、歴戦の八路の兵士はくり返し、そう言った。

そして、すべてを忘れた。

妹の亡骸とひきかえに兵隊の置いていった饅頭を、紅林は貪り食った。

そして、すべてを忘れた。

「西岡君、行こう」

紅林は西岡の腕を摑んで歩き出した。

「行こうって、あのじいさん、人を集めてますよ」

「また戻ってくればいい。生れた場所はわかったんだから」

「どこへ？」

紅林は桜桃斜街の人々に向かって、正確な北京語で言った。

「我去琉璃廠《ウオチーリウリイチャン》、馬上就回来吧《マーシャンチユウホエイライパ》」

琉璃廠に行ってきます。すぐに戻るから――。

ポケットの中で握りしめていた弾丸の来歴に、紅林は思い当たった。

北京和平門外を東西に延びる琉璃廠は、書画骨董を商う店が軒をつらねる文人墨客の街である。

かつてそこは海王村と呼ばれて紫禁城の屋根を葺《ふ》く琉璃瓦の工廠となっていた。琉璃廠の名はその歴史に由来する。

明末から清代にかけて次第に文房四宝を扱う店が軒を並べるようになったのは、その周辺が科挙受験者の宿泊所となった地方会館街だったからだろうか。のちには近在に師範大学や医学校も造られ、北京随一の文教の街となった。

槐の葉を騒がせて、雨が降り始めた。

曲りくねった胡同をひたすら北に向かって歩きながら、西岡はカメラをバッグに収《しま》った。

時刻は八時を回り、北京の下町はようやく夜の闇にかえった。

「琉璃廠の店は、もう閉まっていると思いますけど」

「べつに買物をするわけじゃない。カメラは、大丈夫かね」

「何とか。すみません、ちょっと待ってて下さい」

胡同の空を被う木蔭に身を寄せると、西岡は三脚とカメラバッグをビニール袋で包んだ。

「北京で雨に降られるのは初めてですよ。珍しいな」

それほど雨の少ない土地なのだろうか。だが紅林の記憶の中の北京は、いつも雨が降っている。

大粒の雨が蹲った西岡の背を叩く。濡れるほどに、たくましい筋肉があらわになった。

自分はいったい、何のためにここまでやってきたのだろうと紅林は思った。この企画に随伴すべき部下たちを拒み、北京空港でも迎えに出た準備室の社員たちから逃れて、西岡と二人きりでタクシーに乗った。

飛行機の中でも車中でも、歩き始めた道筋でも、ずっと西岡に対して懺悔する機会を探していた。だが咽元まで出かかった言葉が声になることはなかった。

成田のゲートで、見送りの役員たちの笑顔に隠れるようにいつまでも深々と頭を垂れていた康子の姿が目にうかんだ。

康子はいったい、何を願っていたのだろう。考えて謀事《はかりごと》をめぐらすような女ではないことは、紅林が誰よりもよく知っている。おそらく康子は、旅行中に秘密を口にせぬようにと願っていたわけではあるまい。ただひたすら、二人の男に対するおのれの不実を詫びていたのだろう。

そんな康子が、今さら愛しくてならなかった。

眼鏡の上に、赤いぼんぼりの光が爆《は》ぜた。

「西岡さん」

と、紅林は改まった声をかけた。背筋を伸ばすと、指先から雨が流れ落ちた。

「何でしょうか」

煉瓦塀に向き合って三脚をビニールでくるみながら、西岡は肩ごしに振り向いた。

「僕は――」

見苦しい言いわけをしてはならない。康子が生涯この夫に秘密を持ち続けることなどできるはずはないのだから、自分は五年の間、美しい人を愛させてもらったせめてもの償いに、すべてを懺悔しておかねばならないと思った。今となって康子にしてやれることはそれだけだと信じた。

「僕は……ああ、いきなりこんな場所で申しわけない。ホテルに戻れば人がいるし、二人きりになれる機会はもうないと思うから」

西岡は立ち上がってにっこりと笑った。笑顔のいい男だ。

「どうしたんです、社長。濡れますよ」

せめて槐の葉蔭に引き入れようとする西岡の手を振り払って、紅林は気を付けをした。

「僕は――僕の人生は、つまらなかった。いいことなど何ひとつとしてなかったんだ。働きづめに働いて、気がついたらこうしているだけで――」

見苦しい言いわけをしてはならない。目をそむけてはならない。笑ってはならない。

「だから、いやらしいおやじだなどと思わんで欲しい。いっぺんぐらい、僕の人生にわがままを言ってもいいかと思ったんだ。むろん、病気のかみさんには申しわけないことをしたと思う。ずっと僕についてきてくれた田島や林や池内や、いやすべての部下たちに対して、僕は不実を働いたと思います」

「社長、どうしちゃったんですか、いったい」

西岡は笑顔を消さなかった。ずっと笑い続けていて欲しいと紅林は願った。

「僕にとって、彼女はかけがえのない人だった」

「……彼女、って？」

思わずポケットに手を入れて、弾丸を握りしめた。人生の正念場でいつもそうしたように、赤銅の弾頭と真鍮の薬莢でできた一発の弾丸を、掌のうちに固く握りしめていた。勇気をふるわねばならなかった。

「もう、未練はない。だから金輪際、口には出さない。彼女を生涯苦しめるようなことがあってはならないから、君に言っておきます。すべてはおのれのわがままです。彼女は何ひとつ落度はない。まことに、申しわけなかった」

紅林は雨の中で頭を下げた。

顔を上げると、西岡はビニールに包んだ三脚を肩に担いで、木《こ》の間から降り落ちる滴を見上げていた。

「社長、それ、冗談じゃないですよね」

「すまんが、本当だ」

「だったら、ひとつだけ訊いていいですか」

目をきつく閉じて、西岡は雨を受けた。それから息を吐きつくすような声で言った。

「あいつのこと、愛していましたか」

「もちろん、愛していたよ」

「なら、いいです。行きましょう」

まるでぬかるみの戦場を行くように、西岡は大股で歩き出した。

胡同を曲ると、静まり返った琉璃廠の夜が二人を待っていた。

雨にしおたれた槐の並木。道の涯《はて》まで続く朱と金泥の店先には、白大理石の獅子像が眠っている。代赭《たいしゃ》色の長い房をつけたぼんぼりが、行く手をいざなう浮標のようにゆったりと揺れていた。

雨粒が小さな王冠をちりばめる甃《いし》の上を、二人はまっすぐに歩いた。

灯を消した軒下で、老人が誰に聴かせるでもなく胡弓を弾いていた。甲高くうら哀しい調べは、故《ふる》い雨の唄だろうか。

「どうして、ここに？」

「わからない。自然に足が向いたんだ」

懺悔をするために歩き出したわけではなかった。めざす琉璃廠が近付くほどに、そんな気持になっただけだ。

黙りこくったまま石畳の街路を歩き、栄宝斎と書かれたひときわ立派な店の前で、紅林は立ち止まった。雨の降り沫《しぶ》く道を振り返る。

「ここだよ。ここだ」

康熙乾隆の昔から、支那の読書人が寄り集った町。士大夫たちのそぞろ歩いた町。魯迅が愛した町。

栄宝斎の店先で大理石の獅子と戯れながら、夜ごと父の帰りを待った。

何日かに一度、父は洋車《ヤンチャ》に乗って帰ってきた。

(回来了《ホエイライラ》。你好嗎《ニィハオマ》？)

ただいま。いい子にしていたかね。

丸い色眼鏡の奥で父はにっこりと笑い、妹を抱き上げ、紅林の手を引いて家に帰った。

藍色の長袍《チャンパオ》に似合わぬがっしりとした掌の感触を、紅林はありありと思い出した。

「——おやじは、商人じゃなかったんだ」

誰に言うともなく、紅林は雨に向かって呟いた。

「軍人、ですか？」

「軍人だった。そう、ずっと忘れていた」

「うん、まちがいない。だが、ふつうの軍人ではなかった。いつも支那服を着て、支那語を使っていた」

「どういうことでしょう」

それは永遠にわかるまい。すでに予備役であったのか、いやそんな齢ではなかったから、たぶん特殊な任務を持った工作員か諜報員だったのだろう。

軍服姿の父を見たのは一度きりだった。

夏の終りの、ちょうど今ごろの時間、ここで父の帰りを待っていた。ひどく悲しい気持だったのは、降りしきる雨のせいばかりではなかった。日なかの熱気など嘘のような、冷たい雨が降りしきっていた。

日本が戦に敗けて、兵隊はみな逃げ帰ってしまったのだと誰かが言っていた。

真暗な闇の中を、蹄《ひづめ》の音が近付いてきた。やがてたくましい葦毛の蒙古馬に跨った日本軍将校が、栄宝斎の店先に蹲る紅林の鼻先に轡《くつわ》をさし向けた。

「龍一」

はっきりと名前を呼ばれるまで、その陸軍将校が父であるとは思わなかった。

「爸爸《パァパァ》？……」

雨粒をはじき返すほどに磨き上げられた長靴《ちょうか》には、ぴかぴかの拍車が付いていた。軍刀の柄に佐官を示す赤い刀緒《かたなお》が覗いていた。立襟の旧式軍服の襟章は騎兵科の緑だった。雨衣の背に丈の短い騎銃を背負い、ベルトに大きなモーゼル拳銃をさしていた。

父は戦に行くのだと思った。

「爸爸――」

思わず口に出た支那語を、むしろぎこちない日本語に改めて紅林は訊ねた。

「おとうさん、僕はどうすればいいの」

父はまっしろな手套《てとう》をはめた手で手綱を握ったまま、冷たい声で答えた。

「おまえも男ならば、そんなことは自分で考えろ」

「でも、僕はまだ子供だから、どうしていいかわからないよ」

父は馬上からじっと、紅林を見据えた。略帽の顎紐から雨が流れ落ちていた。

「男は迷ってはならない。どうしていいかわからないなどとは、口がさけても言うな」

「でも──」

父はやおら拳銃を抜き出して、紅林の額にぴたりと照準を据えた。

「おとうさんはみんなとちがって、死ぬほうを選んだ。おまえはどうする」

父に殺される。紅林はきつく目をつむった。命乞いではなかったが、理不尽が声になった。

「僕はまだ子供だよ。そんなこと言われたって、どうしていいかわからない」

即座に父は答えた。

「子供だが、おまえは男だ。男はいつだって自分の道は自分で決めねばならん。子供だと言うのなら、おとうさんはおまえの親だから、この場でおまえを殺す。どうだ、龍一。おまえは子供なのか、それとも男なのか」

銃口を睨み上げると、怖れのかわりに腹の底から怒りがこみ上げてきた。

父は雨を沫かせながら、軍人の声で叫んだ。

「是生存《シーシャンツエン》、还是死亡《ハイシースーワン》！」

生か死か。生きるのか、死ぬのか。

「痛痛快快地説《トントンクワイクワイダシユオ》！　你是小孩子《ニーシーシアオハイツ》、还是個男子漢《ハイシーガナンツハン》？」

はっきりしろ。おまえは子供か、それとも男なのか。

死を怖れたわけではなかった。ただ同じ男として、父のなすがままになりたくはなかった。

紅林は小さな体をわななかせて叫んだ。

「男子漢《ナンツハン》！　我是個男子漢《ウォシーガナンツハン》！」

とたんに父は、モーゼルの銃口をおろしてにっこりと笑った。

「很好《ハンハオ》。よくぞ言った――」

それから父は、すばやくモーゼルの弾倉を抜いて、一発の弾丸を雨の中に抛《ほう》り投げた。

赤銅《あかがね》の命が、まるで羽毛のようにゆっくりと弧を描いて、紅林の掌の中に落ちてきた。

「再見《ツァイチエン》。達者で暮らせ」

手綱をしごき、拍車を軽く馬の腹に入れると、父は降りしきる雨の中に消えてしまった。

琉璃廠に真黒な闇がきた。


「西岡君。僕は君に、お礼を言わなければならない」

西岡は微笑み続けてくれている。胸のうちには嵐があるだろうに、いい男だと紅林は思った。この男には「漢《おとこ》」という字がふさわしい。

紅林はポケットの中でずっと握りしめていたキーホルダーを取り出した。自宅の鍵をはずし、康子の部屋の鍵とともに抛り投げる。赤銅の弾丸はまるで羽毛のようにゆっくりと弧を描いて、西岡の掌の中に落ちた。

「社長——」

石畳に踵を返して、紅林は来た道を歩き出した。

おたがい言葉を尽くせばきりがあるまい。

「さきにホテルに帰りたまえ。僕は寄り道をしていく」

振り向きもせずに言うと、背中からとまどいがちの声が返ってきた。

「ホテル、わかりますか。王府井《ワンフーチン》のそばの、北京飯店」

「当り前だ。あのホテルの庭に忍びこんで、憲兵に捕まったことがある」

両手を拡げて故郷の雨に打たれながら、紅林は夢のような琉璃廠の夜景を見渡した。

赤いぼんぼり。槐の並木。朱と金泥の店。大理石の獅子。うら哀しい胡弓の調べ。みんなあの日のままだ。

桜桃胡同の生家を訪ねよう。馬太太はとうに死んでしまっただろうが、きっと子供や孫たちが濡れねずみの小紅《シアオホン》を歓迎してくれるだろう。

さしあたっての問題は——美しいふるさとの言葉を思い出せるかどうかだ。

「小紅、你是偉人《ニイシーウエイレン》！」

雨に向き合って歩きながら、「小紅、偉いぞ、よくやった」と、紅林は声に出して言った。

花や今宵

行き昏《く》れて　木《こ》の下蔭を宿とせば
　　花や今宵の　あるじならまし

1

三十回目のバースデーは、どう考えても今までの人生で最低の一日だった。

不快な酩酊は度を越した酒のせいばかりではない。やり場のない怒りと、悲しみと情けなさとで、たとえ酒を飲んでいなくてもこうして終電車のシートに、なすすべもなく圧し潰されているのだろう。

記念すべき三十歳の誕生日を祝福してくれたのは悪魔だけだった。

沢村真知子はハンドバッグを胸に抱えて俯いた。こうすれば髪がすっかり顔を隠してしまうから、声を殺して泣く分には誰にも気付かれない。新宿で座れたのは幸いだった。叫ぶことも地団駄を踏むこともできないが、ともかく涙は流せる。

それにしてもひどい一日だった。

確かな予定によれば、今ごろはベイ・エリアのイルミネーションに囲まれたホテルの一室で、愛する人に抱かれているはずだった。

付き合い始めてから五回もあったバースデーの夜を、ただのいちども二人で過ごしたためしはないのだから、せめて三十歳を迎える今年こそはとせがんだことが、無理な望みだったとは思わない。しかも一年前からの約束だ。

口紅の色まで変え、精いっぱいのおめかしをして出社したとたん、たった一本の社内メールで約束は反古《ほご》になった。

〈まことに申しわけありません。本日の予定、都合によりキャンセルします。〉

〈どのようなご都合でしょうか。〉

〈……。〉

〈プライオリティの変更につきましては、それなりの理由を明示して下さい。〉

〈後日説明します。〉

〈では昼休みに。〉

〈これから打ち合わせに出ますので、あしからず。〉

〈理由をどうぞ。〉

〈子供が熱を出しました。プライベートな理由で恐縮です。〉

たぶん顔色が変わったと思う。人目がなければ、その場で泣き伏していたかもしれない。

デートのたびに女房子供のことを口にするマナーの悪さにはもう慣れているが、こればかりはさすがに効いた。プライオリティに関して言うのなら、たとえこちらに一年に一度、いや十年に一度の節目という事情があろうとも、「二の次」にはちがいがないのだ。

災厄はそればかりではなかった。

真知子の秘密を知っている隣の席の親友が、モニターを覗いていたのかどうか、「きょうはマチコのバースデーだから、お祝いをしよう」と言い出した。

それはそれで、涙の出るほど嬉しかった。いくらか気分も晴れ、一日の仕事も支障なく片付けることができた。十人ばかりで夜の町にくり出し、カラオケに我を忘れた。

マイクを握りながらふと、仲間たちの顔ぶれと席の配置に気付いた。案の定、夜の更けるほどに一組また一組、噂のカップルは煙のように消えて行った。

親友は有楽町の駅まで、真知子を支えて歩いてくれた。

「あんな男、別れちゃいなよ。もう何年になる？」

「五年。ちょっと長いわよね」

「どうなるわけでもないんだからさ。いい、ハンデキャップは男がしょってるのよ、失うものを持ってるんだからさ。その分、こっちがしっかりイニシアチブを握って」

「私、あなたみたいにうまくできないもの」

「自分をコントロールしないと。マジになっちゃだめよ」

「べつに、本気じゃないわ」

「そう？——本気よって、顔に書いてあるわよ」

「あなた、本気じゃないの？」

「遊びじゃないけど、本気でもないわ。だから常に私は、彼にとってのプライオリティ・ナンバーワン。若い女も家庭も、順序は私の次」

「へえ……」

「そろそろ接待も終わるころだわ」

と言うそばから、携帯電話が鳴った。出世頭の部長との、ホットラインである。真知子にはとうていまねのできぬ、社内とはうって変わった親しげな言葉づかいで、男と落ち合う場所を決める。たしかにイニシアチブは握っているふうだった。

「——というわけで、悪いけどここで失礼するわ。まっすぐ帰るのよ」

通りすがりのタクシーを強引に止めて親友が去ってしまうと、真知子はひとりぼっちになった。

「——遅いじゃないの。さきにチェック・インしてるからすぐ来て、か……」

親友の言葉を思わず独りごちて、真知子は熱い溜息をついた。

駅前の小さな空の、ぼんやりと雲のかかった満月を見上げて考えた。あんな言い方を一度でもしようものなら、その場でお払い箱だろう。

覚束ぬ足どりでホームへの階段を昇りながら、真知子はハンドバッグの中から携帯電話を取り出した。ホットラインと呼ぶほどの用はなさないが、恋人のために用意したものだ。

階段の中途に立ち止まり、思いきってダイヤルボタンを押した。

当り前のことだが、恋人の電源は切られていた。

西荻窪——もう眠ってはいけない。

いつだったか、やはり男に振られた晩に、武蔵境を寝すごして立川まで行ってしまった。あのときのタクシー代ほどばかばかしいものはなかった。

涙が乾くと、強い睡けが襲ってきた。一駅ごとに目覚め、あわてて振り返ってはまたまどろむ。

三鷹——次、おります。

雨が降り出したみたい。タクシー乗場は長い行列だろうけれど、とても階段を駆け昇る力はない。

うつらうつらとしながら、真知子はいやなことに気付いた。きっとみんな、私のバースデーを祝福してくれたわけじゃないんだ。マチコさんの三十回目の誕生日が、たまたま金曜日だっただけ。恋愛のモチベートとひまつぶしに、うまく使われた。

あらかた花を落とした葉桜の並木が、間近を過ぎて行く。

車窓に貼りついたひとひらの花を見たとたん、夜来の雨にとどめを刺されたような気分になって、真知子は気を喪うように深い眠りに落ちた。

——いけない、乗り過ごしちゃった。

電源を入れたままずっと握りしめていた携帯電話を取り落とし、拾おうとして尻餅をつき、ドアの閉まるすんでのところでホームに転げ出た。

雨の降りしきる、まっくらな駅だった。冷ややかな山の匂いが真知子をおし包んだ。去って行く電車はからっぽだ。

夢とうつつとがないまぜになった頭の中で、もしこれが夢ではないのなら、とんでもないところまで乗り過ごしてしまったのだと思った。

まったく、何という一日。これまでの人生で最低の日だったことは確かだが、たぶんこのさき心臓が止まるまで、こんなひどい日はないだろう。

酔いは急激に醒めていった。雨のホームに佇んだまま、しばらく漆を撒いたような闇に目を凝らした。ホームの背後には山が迫っている。足元にはオレンジ色の街灯がつらなっているが、行き交う車はない。

遥かに遠い、山あいの小駅だった。

ホームの先の蛍光灯の下に、ぽつんと男の影が立っている。ダスター・コートの襟を立て、しばらくあたりを見渡してから手に持った折畳み傘を開いた。そのしぐさだけで、男が自分と同じ境遇であることがわかった。

ようやく夢から醒めたように、男はこちらに向かって歩き出した。

「あのう、ちょっとお尋ねしますが」

と、男は歩きながら寝呆けた声で言った。

「ここは、どこでしょうか」

はあ、と答えあぐねる真知子の表情をひとめ見たなり、男は愚問に気付いたようだった。

「と言っても、きっとわかりませんよねえ」

「はあ……どこでしょうね。高尾、ですか？」

いえ、と男はまったく救いようのないことを言った。

「たぶんそのずっと先です。高尾までは何度も乗り過ごしたことがありますから」

「終点は高尾じゃないんですか？」

「ええ。今ちょっと考えたんですけど、近ごろは高尾の先まで行く電車がけっこうあるんです。建て売りが山梨まで建ってるから」

「山梨！」

「それに乗っちゃったんじゃないかな。行先、見ませんでしたか？」

男はさほど酔っているふうには見えなかった。ぐっすりと眠りこけて、酒は抜けたらしかった。

「困りましたねえ。上りの電車、まだあるかな……」

茫洋とした、捉えどころのない横顔である。言うほど困った様子に見えないのは、つまりそういう性格なのだろう。

目を凝らして足元の水溜りをよけながらホームを歩き、ともかく屋根の下に入った。

「かいなかざと、ですって」

棒読みにした駅の名を、男は解説した。

「甲斐中里、ですね。甲斐の国のかい。やっぱり山梨まで来ちゃった」

酔いはすっかり醒めたが、かわりに真黒な疲れが被いかぶさった。時刻表を見上げる。上りも下りももうないことは、ひとめでわかった。

「ともかく外に出ましょう。タクシーがいればいいけど……」

背は高いが、気の弱そうな男だった。尻すぼみになった声が自分を頼っているような気がして、真知子はうんざりとした。まるで最悪の一日の、最後のおまけのようだ。

「どのくらいかかるかしら」

「ええと、お金ですか、時間ですか」

あえてうんざりと、真知子は男を見上げた。

「お金ですよ。時間なんて、もうどうでもいいわ」

寝起きの頭がまだよく回らないのか、それとももともと回転が鈍いのか、男は少年のようにぽってりとした唇を半開きにして、しばらく考えた。

「ああ、それならご心配なく」

「どういうことですか？」

「社用のチケット、持ってますから。近くまで送りますよ、お宅どちらですか」

「武蔵境ですけど――」

「僕は国分寺ですから、さきに降ります。あとはこのチケットで帰って下さい」

男はあらぬ誤解を避けるように、二つ折りの財布の中からタクシー・チケットを抜き出した。風采も上がらず、頭も悪そうな男だが、誠実な人間であることはわかった。いや、誠実という言葉はあたらない。人畜無害、とでもいうべきだろう。

「ご好意は有難いんですけど――」

「あ、遠慮しないで下さい。僕はあの……そういう変な男じゃありません。ほんとに、ご心配なく」

「いえ、そうじゃなくって。何もあなたの人格を疑っているわけじゃないんです。ただね、私たちの置かれている状況は、あなたの考えるほど甘くはないんじゃないかって」

「状況、ですか？」

説明するのが面倒になって、真知子は足元の道路を指さした。

「ああ、桜が満開だ。一週間おくれなんですね、ここは」

「そうじゃないわ」

と、真知子は低い声で言った。

「さっきから車が一台も通ってないの。終電車が出たのに駅員の姿もない。つまり、無人駅ですね。ということは——まずタクシーなんているわけない」

ハハッ、と男は軽薄な笑い方をした。続けて何を言うかが、真知子にははっきりとわかった。

「だったら電話で呼べばいいじゃないですか」

「はい、ごもっともですね。ただしその点にも問題はあります。第一に、迎車を引き受けてくれるほどの距離に営業所があるかどうか。第二に、あなたのそのチケットは東京旅客協会のものです。だったらむしろ、ここまで迎えに来てくれる友人について考えてみたほうがいいと思います」

ハア、と男は真知子の明晰な判断に、つなぐ言葉を失った。

「友人ですか……いるわけないでしょ、そんなの」

山腹の木々を薙《な》ぐように、雨まじりの風が吹き下ろした。満開の花が濡れたホームに散り敷いた。

そのときまったく突然に、思いもよらぬ嘘が真知子の唇からすべり出た。

「いちおう、主人の携帯に連絡してみますけど、きょうは徹夜の残業なので、たぶん無理です」

携帯電話の短縮ダイヤルを押しながら、こんな情けない嘘は思いがけぬ桜のせいだろうと真知子は思った。

それでも嘘は魔物のように口をついた。

「ああ、あなた？　ごめんなさい、こんな時間に。お花見でちょっと飲みすぎちゃって、駅を乗り過ごしちゃった――」

相手のない声をはずませながら、真知子は男の表情を窺った。何てだらしのない顔。

「ごめんなさい……怒らないで。大丈夫、タクシーで帰るから。ううん、ひとりよ。ほんとに。心配しないで――」

男の視線からわざと身をかわし、散りかかる花を見上げながら、真知子は聞こえよがしに言った。

「ありがとう。私も――愛してるわ」

まるで見てはならぬものを見てしまったように、男は背中を向けた。

「と、いうことです。残念でした」

「申しわけありません」と、男は背を向けたまま頭を垂れた。

「新婚、ですか？」

「いいえ。もう五年になります。子供はいないけどね。あなたは？」

男は濡れた髪をかき上げながら、照れ臭そうに振り向いた。

「実は――六月に結婚するんです。目白の椿山荘、知ってますよね」

意表をついた答えに、真知子はとまどった。

「え……あ、そう。それはおめでとう。ジューン・ブライドね」

言いながら唇から力が脱け、笑顔が凍ってしまった。かわりに暗い怒りがこみ上げて、底意地の悪い声になった。

「だったらあなた、フィアンセに電話してよ。迎えにこいって。私だって残業中の亭主に電話したんだから、あなたもそのぐらいはしてよ」

真知子の差し出した電話機を、男はおずおずと受け取った。ボタンを押しながら、訝《いぶか》しげに真知子を見て男はホームのへりまで歩いた。

「ああ、ユミちゃん。僕。まぬけなことしちゃったんだけどさ……いや、そうじゃない。酔いつぶれたのはたしかなんだけど、それが終電車の中でさ。そうそう、その通り。そこでお願いがあるんだけど……あ、ごめん。怒るなよ、僕が悪かった。いいよ、タクシーで帰るから。大丈夫だって、子供じゃないんだ。じゃあ――」

男は横目でちらりと真知子を見た。

「じゃあ、おやすみ――愛してるよ、ユミ」

真知子は線路の上に被いかぶさるほどの桜を見上げた。嘘の重みが、たわみかかる満開の枝とともにのしかかってきた。

「と、そういうわけです。どうしましょうか」

洟《はな》をすすり、酔いを装って瞼をしばたたきながら、真知子は呪わしい電話機を受け取った。そのままホームに叩きつけてしまいたい気分だった。

「ともかく駅から出ましょうよ。待合室ぐらいはあるでしょう」

人生で最低のバースデー。

山肌をくり抜いたような階段を下りながら、もしや無人駅の待合室で夜を明かしたあげくに風邪をひき、肺炎にかかって死んでしまうのではないかと、真知子は思った。

ああそれにしても、何というきれいな桜――。

2

ひどい二日酔いで、ただでさえ気分の悪いところに、たまたま時刻を確かめようとテレビをつけたのがいけなかった。

暗い女の声が万年床の湿った枕に、不吉な予言を告げた。

〈今日のワーストは射手座。思わぬ散財がありそう。職場では上司からお叱言をちょうだいするかも。とくに恋人のいるあなたにとっては最悪の一日。行動は慎重に、言葉は控え目に。厄払いは真赤なバラの花が効果的です〉

高木芳男にとっての最悪の一日は、まことに思い当たるふしだらけの星占いから始まった。

小心者だが、占いのたぐいを信じるたちではない。しかしたまたま目覚し時計の電池が切れており、腕時計は洗面所に置いたままだったのでテレビのリモコン・スイッチを押したとたん、不吉な予言が目に飛びこんだのだ。いかにも天の啓示のように。

接待の酒が残る頭の中で、芳男は星占いが現実のものとなる可能性について考えねばならなかった。

午後の得意先回りの途中で渋谷の不動産屋に立ち寄り、スイート・ホームの契約をする。新都心の摩天楼をすっぽりと窓におさめる二ＬＤＫの賃貸マンション。家賃は高いが、由美が気に入ったのだから仕方がない。保証金と前家賃でかれこれ百万の出費だが、散財というべきではあるまい、と芳男は自分に言いきかせた。

少し心が軽くなった。

上司の叱言。これは不況にあえぐアパレル業界では毎日のお題目のようなものだ。だが、今月は新規オープンした新宿の百貨店との間で、春物スーツの大商いをした。叱言どころか部長はたぶん、朝礼でこう言うだろう。

――高木をみろ。みんなやればできるんだ。

納品のダメ押しに、わが社の売場をエレベーター前に引っぱり出す約束もとりつけた。夜中の二時まで浮かれ騒いで、百貨店のバイヤーもしごくご機嫌だったし、おそらく二、三日のうちには売場の移動と追加注文の連絡があるだろう。

心はさらに軽くなった。

問題は、由美のことだ。

二週間前にマンションを探しに出て以来、なぜか音沙汰がない。商品企画室は秋物展示会の準備に大わらわだから、エース・デザイナーの由美はとてもデートどころではないのだろう。

おとついの朝、南青山のデザイン・ルームに電話をしてようやく摑まえた。くたくたに疲れ果てた声だった。こんなときに申しわけないとは思ったのだが、挙式まではあと二ヵ月しかないのだから、早急に話し合わねばならぬことは山ほどもあった。

旅行社からハネムーンの旅程表も届いている。仲人の家に挨拶にも行かねばならない。披露宴の招待客の名簿。引出物の選定。横浜の由美の実家と、郷里の名古屋は正月に連れ立って回ったが、たがいの両親が挙式まで顔を知らぬ、というわけにもいくまい。熱海か箱根の温泉旅館に双方の両親を招いて、と考えているのだが。

そうした懸案を電話口で伝えると、由美は話の中途で苛立つように言った。

——ともかく電話でも何だから、会って話そうよ。私も高木君には言うことがあるし。あさっての七時。いつもの店でね。

問答無用に電話は切られた。

由美は芳男より二年先輩、年齢も二つ上である。いや、そんなことよりも外回りの営業とエース・デザイナーでは社員としての格がちがう。だからデートはいつもこの調子なのだ。

もっとも、それだからこそ一年前に酔った勢いで交際を始めてから、とんとん拍子に話が進んだ。

——ねえ、高木君。結婚しない？

自分は何と答えたのか、まったく記憶にはない。うろたえたのである。なにしろ由美は、彼女自身がモデルになってもふしぎではないほどの美人で、社内の噂によると、さる男性トップモデルと付き合っているらしい。

芳男にしてみれば、遊びでも浮気でも有難かった。由美を抱くたびに、心の底から感動した。愛の言葉など、もちろん口にすることもできなかった。

すべては由美の言うなりに運んだ。

おとついのあさってといえば——きょうである。

こうしてはいられないと、芳男は万年床からはね起きてシャワーを浴びた。

忙しいときに忙しいことを言うのも悪いから、きょうはひとつだけにしよう。

「ユミさん。その、高木君、っていう呼び方、そろそろやめてくれないかな。再来月の今ごろは、君も高木由美さんなんだぜ。ヨシオさんって、呼んでくれよ」

シャンプーをしながらそう独りごつと、芳男の心はまったく軽くなった。

最悪の一日？——冗談はやめてくれ。

会社の窓から望む青山墓地の桜は、もうあらかた散ってしまっていた。

不穏なほどの生温かい風の吹く朝だった。シャガール・ブルーの空を見上げて煙草を喫っていると、部長に呼ばれた。険悪な表情に見えるのは、気のせいだろうか。

デスクの前に立ったとたん、部長は低い、毒を吐くような声で言った。

「高木……おまえ、きのう何時までバイヤーと一緒だったんだ」

「二時ごろ、です。部長がお帰りになってから二軒——」

収穫を口に出そうとして、芳男は声を呑んだ。部長の唇は怒りに慄えていた。

「おまえ、酔っ払ったな。バイヤーにからんだろう」

「え？——いえ、まさかそんな……」

自信はなかった。酒癖が悪いとよく言われるが、もちろん自覚はしていない。

「縫製が気に入らんから、ぜんぶ返品だとよ。おまけに俺を飛びこして、常務に電話が入った。いったい何を言ったんだ、おまえ」

思い当たるふしは何ひとつなかった。もっとも記憶はあいまいなのだが。

「縫製が悪いわけはないんだ。言いがかりだよ。よっぽど頭にくることを言ったんだな、おまえ。ハゲとかデブとか、バツイチとか言ったろう。若いエレベーター嬢は具合がいいでしょうとか、言ったんじゃないのか——覚えてないよな。その酒臭い息をかげば、何があったかおよその見当はつく」

目の前がまっくらになった。部長はいらいらと煙草を吹かしながら、芳男の胸ぐらを摑み寄せた。

「いいか。きょうはすぐ営業に出ろ。七時までは帰ってくるなよ。その匂いで常務の前に出たら、言いわけのしようがない。おまえに任せて帰っちまった俺にも責任はあるんだ。土日は酒を抜いて、月曜の朝一番で頭下げに行こう。少しは常務の頭も冷えてるだろうから」

行け、うろうろするなと部長は叱った。

会社の玄関を出たとたん、青空が灰色にかき曇ったような気がした。

それでも銀行で百万円の大金をおろすまでは、朝の星占いのことなどすっかり忘れていた。これといった道楽があるわけではなく、学生時代からずっと同じ安アパートに住んでいる芳男にとって、銀行口座からいちどきに百万の金を引き出すのは初めての経験である。

由美とは結婚後の経済学について話し合ったことがない。財布は今まで通りに別々にしておくのだろうか。それともどちらかが掌握することになるのか。もしそうだとしても自分が由美の財産を支配するなどとは考えづらい。

では自分の貯金通帳をそっくり由美に預けるのかというと、自社の商品などかけらも身につけぬその華麗なブランド・コレクションや、年に三度も出かけるヨーロッパ旅行などを考えれば、不安は残る。

芳男の取柄といえば、遊びざかりの同期生たちの少なくとも二倍の貯金を持っていることだけだった。

不動産屋で新居の契約を済ませたとき、この百万は二人の間でどう処理されるのだろうか、十八万なにがしという莫大な家賃は、今後どのように負担し合うのだろうかと思った。

それでも、契約書とマンションの鍵を持って町に出ると、灰色の空がまた青く染まった。

高木芳男・由美。

契約書に居住者の名前を書いたとき、結婚をするのだという実感が初めて湧いた。夢なら覚めずにいてくれと、芳男はこらえようもない微笑を俯けながら歩いた。

おとついの電話で由美は、話があると言っていた。たぶん、姓のことだろうと思う。競合メーカーから何度も引き抜きの誘いをかけられたほどのデザイナーなのだから、ブランドとしての名前は大切にしたいのだろう。旧姓を名乗り続けるのはいっこうにかまわないし、場合によっては夫婦別姓でもよい。

街路樹の若葉を見上げながら、そんなことは子供ができたときに考えようと思った。鳥肌が立つほどの幸福が体をつき抜けた。子供。いつか由美が、自分の子供を産む。二人の子供。

プロポーズを由美からさせてしまったことを芳男は恥じた。今となって考えれば、残念な気もする。

去年の今ごろ、百貨店のオリジナル・ブランドを開発した。商品企画室と営業第一部の合同プロジェクトで二人は知り合ったのだった。

海外ブランド志向の市場に反動的なミセス・ファッション。タイトル・イメージは「花」。用尺をたっぷりと取った天然素材のプリント生地――斬新なコンセプトだったが、成功した。ミセス・ゾーンにターゲットを絞った分、価格設定は海外ブランド並だったし、多くのアイテムについての定番構成が可能だった。したがって当初から大きな売上は期待できなかったが、ロス・ストックは少なく、益率もよかった。

ちょうど母親の世代に向ける花柄のドレスを、自分の趣味嗜好とはいっさい関係なく魔法のように描き出す由美の才能に、芳男はしんそこ敬服した。だからプロジェクトの宴会の流れでたまたま二人きりになってしまったときも、まさかそういうことになろうとは思ってもいなかった。

――なんだか飲みたりないわね。もう一軒つき合ってよ、高木君。

地下鉄の階段の途中でそう言われたとき、芳男は心臓が止まるほど嬉しかった。

あの晩から二人は秘密の恋人同士になった。愛しているわと、由美は言ってくれた。ずっと好きだったのよ、と。

初めはもちろん信じなかった。溜息を声にすれば、そういう言葉になるのだろうと思った。だが翌週も、そのまた翌週末にも、由美は同じ言葉を囁いてくれた。そして半年が過ぎた秋の夕暮れどき、誕生日のプレゼントにと奮発したベイ・エリアのホテルの窓辺で、由美はとうとう言ったのだ。

――ねえ、高木君。結婚しない？

そのとき自分は何と答えたのだろう。まったく記憶にはない。おそらく、「え？」とひとこと呟《つぶや》いたなり、絶句したと思う。たしか由美はこう言った。

──きょうで三十になっちゃった。ねえ、結婚しようよ、高木君。

由美の口癖に応える愛の言葉を、芳男はどうしても言うことができずにいる。同じ文句を返すことが礼儀なのだと思えば、唇はいよいよ石になる。

会社には戻らなかった。

部長あてに電話を入れると、激怒した常務がまだおまえを探しているから、きょうはまっすぐ帰れと言われた。ものすごい剣幕で営業部までやって来て、高木のようなバカに東京の百貨店を任せておくわけにはいかぬ、ワゴン車ごと札幌か福岡にとばすと息まいていたそうだ。

たそがれの並木道を待ち合わせのショットバーに向かって歩きながら、芳男は散り残る葉桜の下で足を止めて、由美に会ったらどうしても言わねばならぬ言葉を、小声で呟いた。

「由美ちゃん、愛してるよ」

それから芳男は、乃木坂の花屋で両手いっぱいの真赤なバラを買った。

「由美ちゃん、あい……」

「あのね、高木君。気を悪くしないで、落ち着いて聞いてくれる？」

「え？──あ、はい。何でしょうか」

「君とのこと、常務にバレちゃったの」

「常務、に……？」

「正確には、私がバラしちゃったの」

「どういうことですか、それ」

「あれ？　君、何も知らないの。まいったね、どうしよう。知ってると思ってたわ」

「どうして常務にバレて困るんですか。バラしちゃったって、どういうこと？」

「いえね、言いわけするみたいでいやだけど、ダブってたわけじゃないのよ。君と付き合い始めてからは、彼とはプラトニックだからね。それは信じて」

「彼って、あの、モデルの？」

「ちがう」

「………」

「私、常務の女だったの。向こうはまだそのつもりでいるわ」

「うそ」

「こんなダイナミックな嘘、つけると思う？　ごめんね、高木君。そんなこととっくに承知してるのかと思ってた」

「あの……あの、あのそれでどうなるの、僕ら」

「だからァ、常務は君のことをブッ殺すって言ってるし。そりゃあ公私混同も甚だしいわよ。見下げ果てた男よね。自分の不倫を棚に上げてさ。でも、あいつのことだからどんな汚い手を使ってでも、私と君の仲を裂こうとするわ。これって、最悪の展開よ。私たちにとって」

「どうなっちゃうんです、いったい」

「申しわけないけど、君は地方転勤か、うまくしても晴海の倉庫」

「ああ、それはかまわないです。僕は」

「私はイヤ」

「……イヤ、って？」

「どうして私がローカルのセールスや倉庫番と結婚しなけりゃならないの」

「ちょっと待ってよ、由美ちゃん」

「ちゃん付けはやめて。その呼び方、私のプライドを傷つける」

「あ、はい――それで、話のさきは」

「つまりだね、とりあえず婚約は解消。私たちの関係もなかったことにして欲しい――ごめんね、落ちこまないで。だって仕方ないじゃないの、そりゃあ、悪いのは私よ。女房子持ちのオヤジと三年も付き合ったあげくに、惚れた男の一人も自由にできないんだから」

「……惚れてる？　ほんとに？」

「ああ、べつにリップ・サービスじゃないわよ。今でも君のこと好きだもの」

「今でも、って、終わっちゃったみたいに言わないで下さい」

「終わっちゃったもの、しょうがないじゃないの。続ける方法って、あると思う？　あったら教えてよ」

「僕、会社やめてもいいです。よそのメーカーに行きますよ」

「ばかね、君」

「ば、か、ですか？」

「私の値打ちをぜんぜんわかってない。アパレル業界のことも、ぜんぜんわかってないね。いやしくもわが社のエース・デザイナーよ。その亭主がレナウンやイトキンの営業やってたら、どうなるの」

「はあ……そりゃまあ、まずいですね」

「もちろん私はやめる気はないわ。常務の引きでここまで来たんだから――いやァ、誤算だったな。もうちょっと理解のある人だと思ったんだけど。せめて仮面夫婦とか偽装結婚とか、そういう言い方でもすればよかったかな。マジに結婚するから今後もよろしく、なんて言っちゃった。ねえ、聞いて聞いて。常務ったらね、おまえ高木のことを愛しているのかって、泣くのよ」

「……何て答えたんですか」

「そりゃあ、君。私は嘘の言えないたちだもの、愛してるって言ったわ。でも、やっぱりまずかったわねえ。もうちょっと言い方があった――ところで君、私たちのこと、誰にも言ってないでしょうね」

「はい。社内では誰にも。結婚するってこともまだ口にしていないけど」

「オーケー、ありがとう。部長はもしかしたら知ってるかもしれないけど、洩れる心配はないわ。あいつ、常務の腰巾着だから」

「あの、由美……由美さん。あの――」

「何よ、はっきり言いなさい」

「それって、別れるということですか」

「ほかに手だてはあるの。あったら教えて」

「……ない、ですね」

「でしょう。何たってアパレルは職人の世界だからね。つぶしがきかない。春夏秋冬、服を着替えるみたいに、きっぱりと心も着替えていかなくちゃ生きていけないわ。楽しかったわよ、高木君」

「由美さん」

「なに？」

「由美さんの『花』シリーズ、すてきでした」

「……泣いてるの、君」

「あれで僕、男にしてもらいました。これからもずっと売っていきます」

「いくらミセスの定番アイテムといったって、そのうち消えてなくなるわ。新しいシリーズが出るまで、せいぜい大事にしてあげて」

「由美さん、あい――」

「似合わない言葉はやめときなさい。次の婚約は、男のセリフをマスターしてからね」

――そうだ、指輪、返さなくちゃ。

「あ、いいです。してて下さい。それ、高かったから」

「そう？――じゃあいただいておくわ。けっこう気に入ってるの」

「ついでと言っちゃ何ですけど、これも。持って帰ってもしょうがないから」

「あら、きれいなバラ。椅子の下に隠してたの？」

「愕《おどろ》かそうと思って」

「何だか悪いなァ……」

「いえ、悪くなんかないです。僕、誰にも言いませんから。いい思い出にします」

「おお、なかなかいさぎよいじゃないの。気が向いたらときどき食事にでも誘うわね」

「いいです、もう。そういうことって、きっちりしないとまずいですから」

「ありがと。やっぱりいいやつだね、君って。私がプロポーズしただけのことはあるわ」

――じゃあ、そういうことで、さいなら」

「さようなら。常務には冗談だって言っといて下さい。できれば転勤したくないから」

「わかったわ。そのくらいはさせてもらう。元気でね、さいなら」

「さようなら……」

3

雨水の滴り落ちるほの暗い階段を下りると、無人駅にしては立派な待合所があった。

山腹にへばりつくような谷間の駅である。おそらく最近までは駅員がいたのだろう。

「登山口の駅みたいね。週末とか夏場は誰かいるのよ、きっと」

出札口にはカーテンが下ろされており、事務室の扉には外側からシリンダー錠がかかっている。

高木芳男は運賃表を見上げ、ポケットの小銭を探った。

「すみません、十円玉持ってたら貸して下さい」

芳男は当然のことだと思ったのだが、女は愕くふうをした。

「あなた、精算するの？　ここ、無人駅よ」

「でも、乗り越しちゃったんだから。それにほら、料金箱もちゃんと置いてあるし」

「勝手になさい。私はご免だわ。こんな山奥まで連れてこられて、そのうえお金を払うなんて」

「JRのせいじゃないですから」

芳男は改札口に取り付けられたスチールの料金箱に、釣銭の出ない分だけ余分に硬貨を入れた。

「お釣、もったいないけど。まあいいか」

駅前のうつろな闇を、満開の桜が染めていた。細い雨を沫《しぶ》かせて風が渡ると、花は風の行方を示すように、いっせいに散った。

雨の音だと思ったのは、渓谷の響きであるらしい。芳男は駅舎から出ると、清らかな夜気を胸いっぱいに吸いこんだ。酔い醒めの体に雨が心地よい。

女が軒下に置かれた公衆電話を殴りつけた。

「こわれてるわ、これ」

「十円玉が詰まってるんですよ。誰もいないから。携帯を使えばいいじゃないですか」

電話機の上に、「タクシーのご用命は」という手書きのチラシが貼り付けてあった。

女は苛立っている。激しく電話機の腹を叩く。こんどは通じたようだ。

「……出ないわ。なんてこと！」

「東京みたいに二十四時間動いてやしないんですよ。予想通りじゃないですか。ここで始発を待つしかないですよ。だいたい、タクシーで帰ったら何万円かかるかわかったもんじゃないし」

「私はいや」

と、女はきっぱりと言った。

「こんなところで夜明ししたら、絶対にカゼひく。カゼひいて肺炎おこして死ぬ。まちがいない」

「まちがいない、って、そんな決めつけ方はないでしょう」

言いながら笑顔が凍えた。きょうばかりは自分もまちがいなくそうなるような気がした。

「寒いですよね、ここ」

「あれをごらんなさい。桜が満開よ。東京より一週間は遅れてるわ。おまけにこの雨」

女はまるで舞台の上に駆け出すように、広場の中央まで走って両手を挙げた。まだ酒が回っているようだ。

いいセンスをしているなと芳男は思った。マックス・マーラのスーツにプラダのバッグ。素足にグッチのパンプス。舶来ブランドの相性というやつをちゃんと心得たコーディネートだ。

人妻に見えないのは華奢《きやしや》な体つきのせいだろうか。

「あの、あなた本当に結婚なさってるんですか？」

頭をかすめたことがつい言葉になってしまった。自分もまだ酔っているらしい。

無礼な質問だと思った。はたして女は、怖い顔をした。

「それ、どういう意味よ」

「あ、失礼しました――いえ、奥さんあんまりきれいだから」

「奥さん……？」

女の表情はいよいよ険悪になった。たぶんそう呼ばれることが大嫌いなキャリア・ウーマンなのだろう。

「あの、僕、アパレル関係なんです。デパートの営業やってるから。それで、いいセンスだなって思って」

「きょうは特別よ」

女はパンプスの踵を鳴らしながら歩み寄ってきた。見上げる目には憎しみがこもっていた。

「バースデーなの。それも、とうとう三十回目のね」

女の唇は慄えている。よほど寒いのだろう。由美と同じ年齢だと思ったとたん、芳男は切なさで胸がつぶれそうになった。

「どうしたの？　寒いの？」

体がとどめようもないほど慄え出したのは寒さのせいではない。鞄を足元に投げ置いて、芳男はきつく腕組みをした。すると体じゅうが瘧《おこり》のように慄え始めた。

「寒いですね、たしかに。あの、奥さん、うちの女房と同じ齢です」

思い切って口にした嘘は、いくらか体の慄えを静めた。女房――嘘とはいえ、由美のことをこんなふうに呼ぶのは、これが最初で最後だろう。

「そう……」

と、女は打ちひしがれたようにうなだれてしまった。

「二つ齢上の姉さん女房なんです。給料も僕よりずっと高くって。だから結婚式もマンションもワリカンなんですけど、僕のほうがきつくって」

「そんなこと聞いてないわよ。変な人ね、自分のことばかりぺらぺらしゃべって」

由美と自分との二人きりの秘密は、披露宴の招待状を発送したとたんから解禁になるはずだった。誰はばかることなく公言できるその日を、どれほど心待ちにしていたかしれない。

秘密のままになってしまうのだと芳男は思った。

すっかり濡れてしまった体を、二人はようやく軒下のベンチに沈めた。

「ご主人、おいくつですか」

女はしばらく考えるふうをした。それからゆっくりと、静かな感じのする横顔を花の闇に向けた。

「四十三。昭和二十八年の巳《み》年。一緒になったころは痩せてて格好よかったんだけど、近ごろ肥ってきて、頭も薄くなっちゃって――」

「お仕事、何をなさってるんですか」

「商社マン。ずっと大阪の本社にいた人でね、五年前に課長になって、東京に来たの」

芳男は女が口にしたいくつかの言葉を、心の中で縫い合わせた。

「じゃあ、職場結婚ですか」

女の濡れた髪に、白い花びらがまとわりついた。足元の水溜りに目を伏せると、銀色の街灯の光が、長い睫毛の扇のように開いた形までをくっきりと隈どった。

「まあ、そんなところね。でも、楽しかったのは最初の一年だけ」

「え？――どうして」

女は言いよどんだ。

「……結婚なんて、そんなものよ。男はみんな淋しがりや。だから独りでは生きていけない。ただそれだけのことだったわ」

夫婦仲がうまくないのだろうか。だとすると、さっきホームで電話をしたときの甘い会話は、いったい何なのだろう。

「早いうちに別れておけばよかったんだけどねえ」

と、女はまっしろな溜息とともに言った。

「愛してるんでしょう？　ご主人のこと」

「さあ。はっきりそう思ったのは最初の一年だけ。ちょっと状況が変わっちゃって」

「状況、って？」

「――他人に話すことじゃないわ。ともかく状況が変わったの。東京在勤の役員に気に入られてね。プロジェクトに参加して、はっきりラインに乗った。だから、こっちに家を建てて……」

女は続く言葉を呑み下すように、咽を鳴らした。とたんに、下瞼に涙の粒が盛り上がった。

「私も若かったし、そんなふうに突然状況が変わったからって、身をひくのはいやだっ

え隠れしていた。

「モーテルですよ、きっと」

「ここにいるよりはましでしょうに」

「そうですね」

雨の中に歩み出して、二人は同時に立ち止まった。

「あなた、さっき電話でフィアンセに、愛してるって言ったわよ」

「ご主人のこと、愛してるわって言ってましたよね、たしか」

傘をさしかけると、女は迷わずに腕をからめてきた。

「嘘じゃないわね」

「はい、嘘じゃないです」

「じゃあ、緊急避難ということで。あなたを信じるわ」

「僕も、信じます」

闇をうめつくした満開の花が、二人をいざなうように行手を開いた。

4

ひとつの傘の下で、真知子が何のためらいもなく男と腕をからめたのは、あまりに現実ばなれした夜のせいだった。

そういうことは学生のころからしたいとも思わなかったし、言葉づかいにしろちょっとした動作にしろ、男に媚びを売るようなしぐさは嫌いだった。ただひとり、五年付き合っている恋人にだけは甘えたかったが、たがいの立場上いちいち他目《はため》を気にしなければならなかった。

頭のどこかで、これは夢なのだと思っていた。やけ酒を飲んで電車のシートに眠りこけ、こんな夢を見ているのだろう、と。

それでも見知らぬ男の腕を引き寄せると、乙女のように胸がときめいた。

無意味に広い駅前の砂利を踏んで、雨空を被いかくす花の下を抜けると、思いがけぬ近さに、山あいの旅宿とも連れこみ宿ともつかぬうらぶれた門があった。「空」という青い灯りが、道路に張り出すように灯っている。

「いつでもどうぞ、っていうことでしょうね。でも、『満』なんてこと、あるわけないな。こんな場所で」

男は恥じらいをごまかすように、そう言って笑った。

道路を渡ると水音が近くなった。

「下は川なのね。ずいぶん危ないところに建ってるみたい」

闇に慣れてきた目で、真知子はふしぎな夜の風景を眺めた。渓流を挟んだ両岸は切り立った山で、そのわずかな谷間に道路と線路が走っている。民家の建つすきまなどないうえに、高速道路の開通で車さえも通らなくなったのだろう。

石造りの門の先はつつじの生け垣に沿った急なスロープだった。街灯のかわりに、曇りガラスのぼんぼりが並んで足元を照らしている。

「けっこうロマンチックじゃないの」

「歩いてくる客なんていないですよ」

スロープの下は駐車場になっていた。みごとな桜に被われた闇の中に、車が何台か止まっていた。ナンバー・プレートにベニヤ板が立てかけられているのは、宿の配慮だろう。

「わかった。つまりその昔は峠の料理屋か何かだったんですよ。それが、こうでもするしか方法はなくなった」

「宿の人と顔を合わせるのって、いやね」

言ってしまってから真知子は、場慣れした女に思われはしないだろうかと、男の横顔を窺った。

恋人としのび会う場所はいつもラブホテルだった。

初めの一年は単身赴任のワンルーム・マンションに通っていたのだが、二年目の春に家を新築し、大阪から家族を呼んだので、方法はそれしかなくなった。

月に一度か二度、まったく思いつきのような社内メールがデスクのモニターに配達され、食事をし、ホテルに行く。そのほかのことは映画もコンサートも、旅行もドライブも、何もなかった。恋愛などとはほど遠い、男と女の習慣になってしまった。

そのうえ、ラブホテルで過ごすそうした一夜さえも、恋人の腕の中で朝を迎えることはできない。夜の明けきらぬうちに、男はそそくさと身仕度を整えて家族のもとに帰って行く。ひとりで朝まで眠り、男の匂いの残るバスルームでシャワーを浴び、おどおどとホテルを出る。

バースデーの約束を反古にしたのは、子供が熱を出したからではないのだろうと真知子は思った。たぶん、週末に家をあける理由が思いつかなかったのだろう。

「あなた、フィアンセとこういう場所には行くの？」

「こういう場所って？」

「ラブホテル、とか」

「いえ――」

「じゃあ、どちらかのおうちで？」

いやらしい言い方だと真知子は思った。知りたいのではなく、男と女の当り前のあり方に、自分は嫉妬している。

「それも、ないんです。僕の部屋は学生時代から住んでいるボロアパートだし。彼女のマンションは――」

男は歩みをゆるめて言い淀んだ。それから低い、吐き棄てるような言い方をした。

「来客が多いから、まずいって」

「あら、婚約者が部屋にいてどうしてまずいの？」

「さあ……僕がこんなふうだから、恥ずかしいんじゃないかな。自分のおしゃれって、まるでだめなんです。それに、いつまでたっても田舎者だし、お金には細かいし、彼女にふさわしいものなんて、何ひとつ持ってないから」

「ふうん……」

真知子は何となくダスター・コートの襟をかき合わせて、うちにこもった男の匂いを嗅いだ。

「じゃあ、どこで会うの？」

「シティ・ホテル。それも、パーク・ハイアットとか、フォーシーズンズとか、西洋銀座とかね、そういうところじゃないといやだって」

「まあ、贅沢な人――お金、たいへんじゃないの」

「でも、由美には似合うんです。それに、せいぜい月に一度くらいのことだし」

「お金に細かくなんかないわよ、あなた」

何とも風変わりな宿だった。外観は木造の古い和風建築なのだが、玄関はいかにもそれらしい目隠し壁のついたタイル張りで、そこに立つと大げさな音をたてて自動ドアが開いた。録音の声が連動している。

〈いらっしゃいませ、パネルの中から電気のついているお部屋をお選び下さい〉

悲しい気持になった。何だかラブホテルがこんな山の中まで、自分を追いかけてきたような気がした。

「興ざめよね。山奥の隠れ宿のほうがいいのに」

「どれにします。別々の部屋でもいいのかな」

「一緒でいいわよ。お金がもったいないわ。それに、事情を説明するのも面倒だし」

こちらへどうぞ、とカーテンを下ろした受付の小窓から、皺だらけの女の手が二人を招いた。

「いいんですか。いやじゃないですか」

「べつに何をするわけでもないでしょう。居眠りしながら愚痴でも言わせてもらうわ」

本当はひとりになるのがいやだった。

「この部屋がいいわ。和風が好きなの」

男の答えも聞かずに、真知子はボタンを押した。

「高いですよ。一万三千円だって」

「タクシー代を考えてごらんなさい。パーク・ハイアットやフォーシーズンズに比べたらあなた――」

ゆうベリザーブしておいたベイ・エリアのホテルは四万円だったと思わず言いそうになって、真知子はあやうく口をつぐんだ。

何とも不器用な造作だが、ともかく宿の人間とは顔を合わせずにすむ仕組になっていた。

受付で手渡された案内図を頼りに、迷路のような廊下を歩く。ラブホテルふうの廊下がいきなり木造に変わり、足音を気づかいながらたどり着いた奥に、「桜の間」はあった。

「遊園地のアトラクションね、まるで」

重い扉を開けると上がりがまちに透かしの引戸があった。

「電気、電気。あれえ、わからないわ」

壁づたいにまさぐりながら、こんなときふつうの男ならば、闇の中で背中を抱きしめるだろうと思った。この五年の間にも、実はそんなことが何度かあった。もちろん相手は恋人ではない。たいていはやけ酒を飲んだ勢いで、見知らぬ男に抱かれた。

「ありましたよ」

声と同時に座敷の灯りがともった。

「ああ、ここならいいですね。ちっともいやらしくないし。雨宿りにはもってこいだ」

男は一瞬の間を怖れるように、冷蔵庫を開けた。

「ビール、飲みますか。迎え酒に」

「そうね。まずは雨宿りに乾杯。どうにか肺炎にならずにすんだわ」

「蒲団で寝て下さい。僕はこっちの隅っこで寝ますから」

押入れを開けて枕と毛布を引きずり出し、男は思いついたように言った。

「あ、お金払わなくちゃ。ここは僕が持ちます」

「いいわよ。エスコートしてもらったんだから」

「じゃあ、ワリカンで。いつも財布を出すタイミングが悪いんです。べつに出しおしみをしているわけじゃないんだけど、そういうことに鈍感でね」

「それって、営業マンとしては致命的よ」

広い座敷の壁ぎわに、ダブルサイズの寝床が敷かれていた。この部屋だけは、かつて峠の料理屋だったころの造作をそのまま残してあるらしい。床の間も襖も欄間も、立派だった。

「桜の間ということは――」

真知子は障子を開けた。

「うわあ、何よこれ！」

「すごいや……安いですね、一万三千円」

障子を左右に開け放つと、ライトアップされた桜の古木が、縁先いっぱいに拡がった。まるで一幅の障壁画だった。

それから二人は、ぶ厚い寝床の端と端に座って桜を見ながら、ビールを飲んだ。

「愚痴言っていいですよ。聞きますから」

「あなたから、どうぞ」

「僕、ですか？　僕はべつに愚痴なんかないですよ。幸せだからね――煙草、喫っていいですか？」

「どうぞ。がまんしてたの？」

「女性の前で煙草を喫うときは、必ず許可を求めろって」

「彼女が言ってたの？」

男は煙草に火をつけると、天井に向けてうまそうに煙を吐き出した。

「名前、きいてなかったですね」

「べつに名乗り合うこともないでしょう。M子、です」

男は膝を抱えこむようにして、おかしそうに笑った。

「それ、いいですね。何だか気が楽です」

「あなたは？」

「Y男、です」

真知子は羽織っていた男のコートを脱いで、ハンガーにかけた。

「ああ、いいですよ……やっぱり人妻はちがうな。いつもそんなふうにするんですか」

コートの滴をハンカチで拭いながら、真知子はきつく目を閉じた。ラブホテルのベッドに脱ぎ散らかした恋人の背広を、きちんとハンガーにかける。短い一夜はいつもそうして始まる。考えもせぬ自分の習性は、人妻のしぐさに見えるのだろうか。

「Y男さん、体、濡れてるでしょう。お風呂に入ってきたら？」

言いながら、真知子の足はバスルームに向いていた。背広を脱ぎ捨てると、恋人は決まってアダルト・ビデオを見ながらビールを飲む。自分はバスの仕度をする。そんな夜の手順がすっかり習性になってしまっていた。

かぐわしい檜《ひのき》の浴槽に湯を張りながら、真知子はこらえきれずに泣いた。

恋人と知り合ったあのころ、三十歳という年齢は遥かな時の彼方だと思っていた。そんな日がいつかやってくることさえ、信じてはいなかった。

事情を知る親友は、上司との不倫な関係を五年も続ける自分を、馬鹿だと言う。女子高から女子大に進んで、男とのしがらみなど何も知らないから、そんなことを続けていられるのだと言う。マチコは子供のままなのだ、と。

たしかにその通りだと思う。恋人に約束をすっぽかされた日、しばしば深酒をしたあげく行きずりの男に身を任せたのは、ことさら欲望がつのっていたからではなく、ましてや不実な恋人への復讐ではなく、ひたすら自らの肌に傷をつけていたのだと思う。母親に叱られたとき、泣きながらひそかな自傷をくり返したように。

涙が止まらなくなった。湯の音にまぎれて声を上げ、真知子は湯舟のへりに身を支えて泣いた。

いちど、こんなことがあった。

恋人が家を新築し、妻子を呼び寄せて暮らし始めたころ、ぼんやりとその家を見に行った。日曜の朝、目が覚めたとたんに、たまらなく会いたいと思ったのだった。いや、あとから考えればただの怖いもの見たさ、それも自傷のうちだったのかもしれない。郊外の駅に下り、交番で道順を訊いた。たしかあれも、花の季節だった。真新しいフェンスに囲まれた庭を、真知子は花の散りかかる公園の、滑り台の上から眺めた。

当然のものであるのに、男の醜い正体を見てしまったような気がした。その日をさかいに、愛の言葉を口にすることができなくなった。もちろん、恋人が矢継早に囁く愛の言葉も、呪文のようにしか聞こえなくなった。だがそれでも、遁れることはできなかった。

「あの……どうかしちゃったんですか」

浴室のドアごしに声をかけられて、真知子はあわてて顔を拭った。

「何でもないわ。ごめんなさい」

「やっぱり、べつの部屋とります」

「いいわよ、気にしないで。ちょっとメンタルな気分になっただけ」

「ならいいけど……あの、僕はほんとに何もしないから、安心していて下さい。そういうところだけが取柄なんです」

「ありがとう。私、さきに入るわ。何だか寒くって」

男が浴室から出て行くと、真知子は穢らわしいものを脱ぎ捨てるように、荒々しく服を脱いだ。一日じゅう、朝から漂わせていたにちがいない牝の匂いを、洗い流したかった。

雨は下着にまで滲みていた。

5

女の髪からこぼれ落ちた桜の花びらが湯に浮いていた。

浴室の残り香が哀しい。脱衣室の籠に、濡れた下着が干してあった。レースの飾りのついた、紺色のブラジャーとショーツだった。その無節操さが、よけいに芳男を哀しくさせた。

湯舟に蓋をかぶせ、自分の濡れた下着はその上に拡げて置いた。

糊のきいた浴衣を着たとき、女も浴衣の下には何もまとってはいないのだと思った。そこまで想像しても欲望はかけらすら湧かず、由美を喪った哀しみばかりがつのった。

もしかしたら――いやたぶん、女は自分の嘘を見抜いているのだろう。

嘘をつくことで哀しみを紛らわそうとしている自分が情けなかった。まったくの偶然で一夜を共にすることになった女なのだから、はなから嘘などつかずに、泣いてわめいて愚痴をこぼせばよかった。女にもおそらく、他人に言いたい悩みがあるにちがいない。たがいに苦痛を打ちあければ、この偶然の一夜はそれなりに意味のあるものになったことだろう。

幸福を装った嘘が、その機会を永遠に奪ってしまったのだと思うと、芳男の胸は申しわけなさでいっぱいになった。

部屋の灯りを落として、女は窓一面に拡がる絢爛《けんらん》を見つめていた。

「ごめんなさいね。私、どうかしてる——煙草、一本もらっていい？」

「どうぞ。喫うんですか？」

花あかりに頬を染めて、女は煙草をくわえた。

「喫わないわ。見ていてもわかるでしょう」

子供のように不器用なしぐさで、女はライターの火を煙草に向けた。眉をしかめて煙を吐く。

「彼はね、煙草が喫いたくなると、ベッドに寝転んだまま黙って指を立てるの」

女が煙草に火をつけて夫の口元に運ぶさまを想像すると、芳男の胸に熱い嫉妬がこみ上げた。もちろん女に対するものではない。そういう男と女の関係に、嫉妬を感じた。

「喫う？」

女は細い指先に挟んだ煙草を芳男に向けた。

「ご主人に悪いな」

「消すのがもったいないから。べつに意味はないわよ」

「なら、いただきます」

女は久しぶりに、にっこりと笑った。

「素顔、いいですね」

「そう？——ありがとう。男の人はみんなそう言ってくれるわ」

「みんな、って?」

ひやりとした。

「……私、寝るわ。眠たくなっちゃった」

女は言葉をはぐらかすように、蒲団にもぐりこんだ。

「お世辞じゃないですよ。あいつはちがうから」

「へえ。ずいぶんね」

「美人なんだけど、化粧を落とすとすごく平凡な顔をしてるんです。嫌いじゃないですよ。でも、自分でもそれを承知してるから、部屋をまっくらにしないとバスルームから出て来てくれないんです」

女は蒲団の中で、猫のように体を丸めた。

「寒い。湯ざめしちゃった」

膝を抱えてビールを飲みながら、芳男は窓を見つめた。いつの間にか雨が上がって、形をくっきりと定めた桜の上に、おぼろな満月がかかっていた。

「お月さま、出ましたね」

「夢みたい……みんな夢だったらいいのに」

ぽつりと呟いた女の言葉に、芳男は胸を摑まれた。切実な声だった。

ふと、こわいことを考えた。もしかしたらこの女も、嘘をついているのではないか。

あの電車は、そっくり似た者の男と女を、山の中の無人駅に運んできたのではないか、と。

自分の身の上を女の中に移しかえると、芳男は胸がいっぱいになって、わけもなく浴衣の袖で顔を被った。

「どうしたの、Y男さん」

「……ちょっとね。イフ、を考えた」

「イフ、って？」

「つまらないことです。イフにしたって、そんなことあるわけない」

由美は今ごろ、どこで何をしているのだろうと思った。結婚のことは冗談だと言って、常務と仲直りをしているだろうか。常務が百貨店のバイヤーに無理を言ってリコールした商品は、きっと誰かが再納品するのだろう。そして何ごともなく、日常が始まる。由美と自分の一年間だけが、あとかたもなく消えてしまう。

「僕は男だから、いいんだけどね」

思わず独りごつと、女は枕から首だけをもたげた。

「どういうこと？」

「いえね。やっぱり女の人はかわいそうだって思ったんです。男と一緒に仕事をして、同じ給料をもらって、でも何かあったとき、男はちっとも傷つかない。それどころか勲章にだってなるんです。その点、女の人はそうはいかない」

ふいに、女が枕を投げつけた。

「ばかにしないでよ。そういうじうじした男、大ッ嫌い！」

女の身の上を想像したわけではなかった。ドライな女を装ってはいるが、由美もきっとひとりになれば泣いているのだろうと思った。エース・デザイナーの地位まで引き上げてくれた常務に向かって結婚の宣言をしたとき、由美は人生を賭けたのだろう。

こぼれたビールをタオルで拭う。拭いきれぬしみは、月光に押し倒された桜の影だった。目を上げると、猛々しいほどに花をつけた桜が、群青の夜を被いつくしていた。

男ならば、と老いた桜が言った。

「あの、M子さん。提案がひとつあるんだけど」

「何よ」

憮然として女は答えた。投げつけられた枕を膝に抱くと、世の中のひずみの中でやり場のなくなった女の怒りが、ずっしりと伝わった。

「きょう一晩、あなたを抱いて寝たいんです。何もしませんから、一緒に寝て下さい」

女の愕きが雨上りの夜のしじまをいっそう静まらせた。

由美が胸を張って生きようとした分だけ、自分は肩をすぼめたのだと思う。天から授かった筋肉の量がちがうのだから、男にとってそれほど楽なことはない。哀しみはその代償なのだ。

仮に――女がそんな社会の罪を一身に背負って終電車に乗り、無人駅の桜の下に放り出されたのだとしたら、自分は筋肉の量がもともとちがう異性として、せめてその哀しみを抱き止めてやらねばならないと芳男は思った。

「いいわ」

と、女は蒲団の中で小さな体を移した。

「私からも、ひとつだけお願いがある」

「何ですか」

「キスだけして。何もしないでいいから、キスをして、朝までしっかりと抱いていて」

とまどう芳男に向かって、女は蒲団の中で叫ぶように、お願いよ、と言った。

男の腕の中に身をゆだねたとき、真知子がそうするより先に男は、苦しみを吐きつくすような深い溜息をついた。

「どうしたの」

と、真知子は温かな胸に訊ねた。

「いえ、べつに。何だか恋をしたみたいな気がして」

「それって、口説き文句のつもり？」

「とんでもないです――痩せてるんですね」

恋人と比べているのなら、それでもいいと真知子は思った。

「約束」

「はい」

男は唇を重ねるだけの、ぎこちない接吻をしてくれた。抱き寄せた頭の向こうに、満月をいただいた桜がまっしろな花を散らしていた。

酒がすっかり抜けたせいか、頭がからっぽになってしまった。欲望はかけらもなかった。

「ねえ、電話していい？」

「誰に、ですか」

「あいつによ。いま、男に抱かれてるって言ってやる」

「夜中の三時ですよ」

「留守電サービスに録音しておいてやるわ」

これは妙案だと真知子は思った。別れのきっかけになるのなら、それでもいい。

「やっぱり、うまくいっていないんですか。ご主人、女でもいるの？」

答えずに手を延ばして、携帯電話機をとった。

「そういうの、やめたほうがいいと思うけどな。穏やかじゃないですよ」

「穏やかにしていた結果が、このざまよ」

闇の中に顔を寄せ合って、二人は緑色に点灯したボタンを見つめた。

「残念でした。圏外ですね」

「名案だと思ったのに……」

「電波が飛ぶわけないですよ。ここ、山に囲まれてるから――」

言いながら男は、えっ、と声を上げた。真知子も同時に電話機を取り落とした。駅のホームで電話機に囁きかけたたがいの愛の言葉が、耳に甦った。

「嘘つき」

「嘘つき」

それから真知子は、かつて誰とも交わしたことのないほどの熱いくちづけを男に求めた。

長い接吻のあとで、息を継ぐ男の肩ごしに桜を見た。

この人は本当に何もしないだろうけれど、きょうは最高のバースデーだ。

月と桜と、ぶきっちょな天使とが、三十歳の誕生日を祝福してくれたのだから。

ふくちゃんのジャック・ナイフ

「ふくもと・ゆきお」という名前だった。どういう字を書くのか、「福本幸夫」かもしれないし、「福元行雄」かもしれない。つまり僕が、満足に漢字の読み書きもできなかったころの話だ。

みんなが「ふくちゃん」と呼んでいた。年齢は二十代のなかばだったはずだが、それにしても昔の人は老けていた。僕が子供だったせいばかりではなく、今の若者と比較すればふくちゃんは十歳も齢を食っていた印象がある。

誰の名前でも偉そうに苗字で呼び捨てる祖父も祖母も、どういうわけか彼だけは「ふくちゃん」と呼んだ。ねえやたちもそう呼んだし、もちろん兄も僕もそう呼んだ。同僚の住み込み店員たちも、先輩後輩にかかわらず「ふくちゃん」と呼び習わしていた。

例外はおそらく父だけで、さすがにワンマン経営者の威信にかけて、「フクモト」と呼びつけていた。

ふくちゃんは大勢の若い衆《し》さんたちの中でも、何となく特別な感じのする人だったから、「フクモト」と父が彼を呼び捨てにするたびに、父の偉さを感じたものだった。長いこと僕は、父の経営する写真機と材料の問屋の店員たちの中で、ふくちゃんが一番の番頭さんなのだと信じていた。

なぜだかはわからない。ともかく偉そうに見えたのだ。だが、宴会やら旅行やらで、三十人ばかりの店員が一堂に会してみると、ふくちゃんはやはり「若い衆さん」のひとりに過ぎなかった。

僕の家は中野のお屋敷町で、集団就職の若い衆さんがいつも十人ばかり住み込んでいた。朝にはそこからライトバンの車に乗り合い、または配達用のオートバイやスクーターに乗って、いっせいに出社するのだ。父の会社は神田にあった。

ふくちゃんが偉そうに見えたひとつの理由に、集団就職の店員はたいてい一年か二年でどこかへ行ってしまうから、二十代なかばのふくちゃんは住み込み部屋の牢名主のような存在だったことが上げられると思う。

わかりやすく軍隊に例えるのなら、東京の高校や大学を出て就職をした通いの店員は将校で、集団就職組は兵隊で、そのうち最古参のふくちゃんは鬼軍曹とでもいうところだったのだろう。星の数より飯《メンコ》の数というわけで、誰からも一目置かれていたのではなかろうか。

ともかく僕が物心ついたときには、ふくちゃんは母屋つづきの住み込み寮に、ほかの店員たちとは別あつかいの個室を与えられていた。商家の朝は威勢のよい鬼軍曹の怒鳴り声で始まった。

ふくちゃんとの最も古い記憶は——たぶんこれだろう。

夏の盛りのことだったと思う。屋敷をめぐる森に、かまびすしく油蟬が鳴いていた。母屋の廊下からおもちゃの車を押して、住み込み部屋のほうまで行った。若い衆さんたちが何人もごろごろしていたから、日曜日だったのだろう。

突き当たりの壁で引き返そうとすると、開け放った三畳間から、ふくちゃんが僕を呼んだ。

「二郎、ちょっとこい。いいもの見せてやる」

ちなみにわが家では東京の旧家の伝統に従い、跡取り息子の兄は「ぼっちゃん」だったが、冷や飯食いの次男坊は誰からも呼び捨てにされた。

陽の当たらぬ、汗と黴《かび》の匂いのする部屋に入った。

「おい、誰にも言うなよ。いいか」

うん、と僕は胸をときめかせながら肯《うなず》いた。ふくちゃんはいかにも秘密めかして、廊下の気配を窺いながらドアを閉めた。

三畳間には扇風機が唸っており、ふくちゃんはランニング・シャツ一枚の格好だった。プロレスラーのようにごつい体で、自慢の胸毛が首の根までふさふさと生えていた。

押入れの中から、シーツにくるまれた何物かを捧げ持つ感じで持ち出し、ちゃぶ台の上に置く。仰々しくシーツを解くと、両手を拡げたほどもありそうな船の模型が現われた。プラモデルが世に登場する以前のことで、木製だったと思う。

「だいたい完成だ。あとはラッカーで色を塗るだけ」

僕が歓声を上げると、ふくちゃんはシッと、唇に指を当てた。髯《ひげ》の剃りあとがまっさおだった。

「おまえだけに見せるんだからな。誰にも言うなよ」

「軍艦、じゃないよね」

「あるぜんちな丸」

「え？　あるぜん……」

僕が首をかしげると、ふくちゃんは自慢げに、ハガキ大のカラー写真を取り出した。模型のおまけだろうか。カラー写真そのものがまだ珍しい時代で、第一「カラー」という言葉があったのかどうか、たぶん「天然色」のほうが一般的だったと思う。

それは大空を背景に碇泊した「あるぜんちな丸」を、埠頭から仰ぎ見た写真だった。

僕は再び歓声を上げた。

「すごいや。戦艦大和より大きいの？」

「そんなにでかくはないけど――」

と、ふくちゃんは僕の無知を嘲るように笑った。「パナマ運河をギリギリ通過できるぐらいでかい」

それからふくちゃんは、貨客船「あるぜんちな丸」の諸元を、まるで本でも読み上げるようにしゃべった。

僕はぼうっとしてしまった。模型と写真とふくちゃんの言葉と軋むような筋肉とが、イメージの中で一緒くたになった。

「何でこれが秘密なの？」

「ああ……それは言えない。ともかく秘密だ。誰にも言うなよ」

教えて、いや言えない、というやりとりがしばらく続いた。ふくちゃんは秘密を楽しんでいた。

さんざ気を持たせたあとで、ふくちゃんが語った秘密は僕を仰天させた。

「これは移民船なんだ。俺はもうじきあるぜんちな丸に乗って、ブラジルへ行く」

「いみんせん、って？」

「ブラジルには土地が余っているから、そこを開拓して農場を経営する。コーヒー園とか、牧場とか」

ふくちゃんは模型を片付けると、ちゃぶ台の上に世界地図を拡げた。南アメリカの大きな国が、赤いマジックインキで塗りつぶされていた。

「ちょうど地球の裏側にあたる。日本からは一番遠いところさ」

海外旅行などは夢物語の時代で、ましてや子供にとって、外国はよその天体も同じだった。永別を告げられたような気持になって、僕は悲しくなった。

「ゆうべ、青年移民団の会合があってな。十二月六日の出発が本決まりになった」

それからふくちゃんは、瞳を輝かせて出発までにやらねばならないさまざまのことを語った。主に渡航費用の心配だったと思う。そんなことは子供に話しても仕様がないのだから、ふくちゃんは障害を口にすることで自らを奮い立たせていたのかもしれない。

「誰にも言っちゃだめだぞ」

「ふくちゃん、急にいなくなったりしないよね」

「大丈夫、任せとけ。準備ができたら、おやじさんにもじいさんにも、ちゃんと話すから」

どんなに仲のよい若い衆さんでも、ある日突然、荷物をまとめて出て行く。そういう淋しい思いは何度もしていた。だが、ふくちゃんのいない生活は、僕には想像がつかなかった。

指切りげんまんをした。それはたぶん、僕が真剣にとりかわした、人生で最初の約束だったと思う。

軒先で鳴いていたのは油蟬ではなく、蜩《ひぐらし》だったような気もする。

記憶の前後関係はよくわからない。

ある日、ふくちゃんと新宿に行った。家の中に若い衆さんもねえやたちもいなかったから、お盆のやぶ入りだったにちがいない。

どういう事情があったのかは知らないが、ふくちゃんは盆も正月も、里には帰らなかった。みんなが帰郷してしまった家の中に、いつもぽつんと居残っていた。そんなとき、よく僕をスクーターの後ろに乗せてどこかに連れて行ってくれた。

三つ齢上の「ぼっちゃん」は祖父母の専有だったが、冷や飯食いのみそっかすだった僕は、若い衆さんたちのペットのようなものだった。とりわけふくちゃんとは仲がよかった。

ふくちゃんの運転するオートバイやスクーターはなぜか安心感があった。べつだんとりたてて運転がうまかったというわけではなかろうが、ふくちゃんは特別の人だと考える、僕の心の中の神話のせいだろう。

お定まりのコースは、映画と昼食と喫茶店だった。映画は決まって日活のアクション物で、ふくちゃんは石原裕次郎に心酔していた。髪形とか表情とかしぐさとか、ほとんど同化していたと言ってもいいくらいだった。

伊勢丹か三越の大食堂で食事をし、それから屋上の遊園地でしばらく遊び、夕方歌舞伎町のまっくらな喫茶店でクリームソーダをごちそうになった。

ふくちゃんとの「デート」はいつもそのように判で捺《お》したものだったのだが、お盆のその日だけはだいぶ様子がちがった。記憶に鮮明なのは、常ではない一日だったからだろう。

映画館を出たあと、裕次郎の活劇に燃えたふくちゃんは、突然ジャック・ナイフが欲しいと言い出した。アンパンと煎餅で午後の二時か三時まで辛抱していた僕は、ぶうぶう文句を言いながらふくちゃんの買物に付き合った。あちこちをずいぶん探したあげく、裏通りの怪しげな店で、ようやく気に入ったナイフを見つけた。進駐軍の払い下げ品とか質流れの中古品が、足の踏み場もないほど散らかった店だった。

ふくちゃんの袖を引いて「やめようよ」と言った記憶がある。たぶん法外な値がついていたのではなかろうか。ナイフそのものには恐怖や危険は感じず、むしろふくちゃんには似合うと思ったのだけれど、「ふくちゃんは金遣いが荒い」という祖父の人物評が、僕の頭には刻みつけられていた。

結局、ふくちゃんはそのジャック・ナイフを買った。子供の目から見たものだから、正確な大きさはわからない。彫り物の入った木製の握りがついていて、手首を振るとぎょっとする感じで鋭い刃が飛び出した。その仕掛けが、いかにも裕次郎だった。

ズボンのポケットにナイフを入れて、ふくちゃんはまったく裕次郎そっくりに、派手なアロハシャツの肩を揺すって歩いた。

眉のつながったごつい顔は似ても似つかず、背丈も頭ひとつくらい足らなかったが、ふくちゃんはそれなりに格好よかった。

ジャック・ナイフのせいで、その日の予定は変わってしまった。デパートの食堂には行かずに、人相のよくない男たちがごろごろいる南口の食堂に入り、カレーライスを食べた。僕の勝手な想像だが、家族づれで賑わうデパートの大食堂は、ジャック・ナイフに似合わないと、ふくちゃんは思ったのかもしれない。

食堂から出ると、ふくちゃんはいつものように、「ちょっと涼もうか」と言った。

そのころの盛り場の喫茶店は、どこも広くてまっくらで、とても子供の出入りできるような場所ではなかったが、その背徳感が僕をときめかせた。一日の仕上げに、冷房の効いた真昼の闇でクリームソーダをごちそうになることが、映画よりも食事よりも、僕の一番の楽しみだった。

もちろん父や母に休日の行動を訊ねられても、喫茶店の部分だけは割愛した。ふくちゃんも他言はしなかったろうから、僕らは暗黙のうちに秘密を共有していたことになる。もしかしたらあの真昼の闇が、僕のふくちゃんに対する特別の感情を保証していたのかもしれない。

だが、ジャック・ナイフを買ったその日、ふくちゃんは歌舞伎町の行きつけの喫茶店の前を、迷いもせずに素通りしてしまった。

南口の食堂でちょっと肩身の狭い思いをした僕は、不安になって訊ねた。

「ふくちゃん、どこへ行くの」

「歌声喫茶に連れてってやる」

いやな感じがした。初めて喫茶店に連れていかれたときも同じ気持がしたのだけれど、見知らぬ大人の世界に入ることは勇気が要った。それに、新宿の歌声喫茶は若い衆さんたちの溜り場だった。

「誰かに会うかもしれない」

「みんな国に帰ってるじゃないか」

「通いの番頭さんは？」

「会ったっていいだろう、べつに」

「おとうさんに言いつけられたら、僕もふくちゃんも叱られる」

「大丈夫だって。何も悪いことをしているわけじゃなし」

そんなことを言いながら、ふくちゃんは僕の手を引いて、丸太小屋のような歌声喫茶の扉を開けた。若者たちの大合唱が僕を押し包んだ。

広いフロアも、吹き抜けをぐるりと囲む二階の桟敷も、若い男女で埋まっていた。中央のステージにアコーデオンが立ち、赤いルパシカを着たひげづら男がひときわ大声を張り上げながら、両手を振って合唱の指揮をしていた。

まず熱気に圧倒された。それから、場ちがいなところに来てしまったと思った。

一曲が終わり、自画自賛の拍手の間に、僕らは壁まわりをぎっしりと埋めた客のすきまに尻をねじこんだ。

「はあい。次は黄色い本の二十三ページ、赤い本の十六ページ。『一週間』。パジャールスタ！」

「ハラショー！」

と若者たちが声を揃えると、アコーデオンが前奏を弾き始めた。

「知ってるだろ、二郎。唄えよ」

「いいよ、聴いてる」

「クリームソーダでいいか」

「うん。咽《のど》が渇いちゃった」

ふくちゃんは手を挙げて、ウェイトレスを呼んだ。

僕が、すみ子という名のふくちゃんの恋人に会ったのは、そのときが初めだった。「澄子」と書くのかもしれないが、やはりふくちゃんの名前と同じ事情で、確証はない。

初対面のその瞬間をよく憶えているのは、僕が歌声喫茶の熱気にすっかりおじけづいていたせいだろう。大きな口を開け、体じゅうで陶然と唄い続ける群衆の中で、すみ子の笑顔は僕をほっとさせた。

すみ子は立襟の白いブラウスに、赤い民族衣裳のような制服を着ていた。髪にも赤いバンダナを巻いていた。

恋とか恋人とかいうものの実体を僕は知らなかったが、唄声の中ですみ子の肩を引き寄せて飲物の注文をするふくちゃんのしぐさと、さも嬉しそうなすみ子の表情に、僕は映画の中にあるような、ある特定の関係を察知した。なんだか大変なことを目撃してしまったように、胸がときめいたものだ。

店には一時間ばかりいたのだろうか。ふくちゃんの濁《だ》み声を耳のそばで聴きながら、僕はその間じゅうずっと、フロアを行き来する美しい人を目で追っていた。

日が翳っていくらか涼しくなった盛り場をずいぶん回り道をしながら帰った。スクーターは南口の陸橋の下に止めてあった。

店を出るとき、すみ子が外まで送りに出てふくちゃんの腕を引き、ふくちゃんは僕のほうをちらりと見て少し困った顔をした。歩きながら、僕はその別れの様子が気にかかって仕方がなかった。僕がその日の二人の予定の邪魔者であるということは、何となくわかった。

靖国通りで信号を待つ間、僕は思いついてふくちゃんに言った。

「僕、都電で帰ってもいいよ」

ふくちゃんはおませな気配りにぎょっとし、信号が青に変わっても歩き出さずに、頭を掻いた。

「ひとりで帰れるのか？」

「大丈夫だよ。車掌さんのそばにいるから」

「ばれたら大変だ。じいさんにどやされる」

「ばれたりしないって。家の前までスクーターできて、僕だけおろしてどこかへ行っちゃったことにする」

ふくちゃんは大ガードの先の、青梅街道の停留場まで僕を送ってきた。電車賃のほかにぴかぴかの百円銀貨を一枚もらった。

「きょうは遅くなるから、夕ごはんはいらないっておかあさんに言っといてくれ」

「うん、わかった」

切実な顔をしていたような気がする。この子は鍋屋横丁でおりますからよろしく、とふくちゃんは車掌さんに念を押してくれた。

青梅街道の夕陽に染まりながら、いつまでも停留場につっ立って都電を見送っていたふくちゃんの姿は、なぜか忘れられない。

ところがその日、事件になった。

無事に鍋屋横丁でおりたところまではよかったのだが、予期せぬ百円玉にうかれて寄り道をした。

子供の小遣いといえば十円玉一個の時代で、僕は帰るみちみちポケットの中の百円銀貨を握りしめていたのだった。それで、都電をおりたとたんに駄菓子屋に駆けこんで、買い食いをした。

そこをたまたま、犬の散歩に出た祖父に見つかってしまったのだった。祖父は士官学校出の元陸軍大佐で、ともかく融通のきかぬ人だった。

駄菓子屋で買い食いをしただけでも立派な譴責の理由にはなるのだが、なぜ今時分そんなところにいたか、なぜそんな金を持っていたのかと厳しく詮索され、だんだん罪は重大になった。そこで仕方なく僕は、「おじいちゃんの胸にしまっておく」という祖父の言葉を信用して、すべてを告白した。

「よし、よく素直に白状した。もう泣くな」

と、祖父は僕の頭を撫でてくれた。ところがひどいことには、家に帰ったその足で祖父は祖母と母とを居間に招集し、ことの次第をすべてばらしてしまった。

その晩、一杯機嫌で戻ったふくちゃんがどんなことになったかは、想像に難くない。

家族が寝静まった夜遅く、僕は寝床を脱け出して廊下を忍び歩き、ふくちゃんの部屋を訪ねた。死んでお詫びしたいくらいの責任を感じていた。

真夜中だったと思う。ふくちゃんは蚊帳《かや》の中でアルミの電気スタンドをつけ、「あるぜんちな丸」の模型の仕上げにかかっていた。

「……ごめんなさい」

「いいよ、気にするな。二郎のせいじゃない」

蚊帳の中にはラッカーの芳香がたちこめていた。

「でも、ごめんなさい」

「いいって。もう寝ろ」

僕は正座をして、しくしくと泣いた。

ふくちゃんがふいに、妙な話を始めたのはそのときだった。太い指を器用に動かしながら、ふくちゃんはまったく子供に聞かせるべきではない話を、勝手にしゃべり出したのだった。たぶん、独り言のようなものだったのだろう。

あいつの名前は、すみ子っていうんだ。齢は二十一。集団就職で青森から出てきて、亀戸の工場に五年いたんだけど、社長にちょっかい出されて、それがおかみさんにばれて、おん出されたんだそうだ。社長とはもう何の関係もないんだから、そんなことはどうでもいい。俺も気にしちゃいない。

去年の今ごろ、ボストンバッグをぶらさげて新宿の地下街をぶらぶらしていて、チンピラの手配師に狙われた。田舎娘をひっかけて売りとばす悪いやつらさ。

俺はそいつらの顔を知ってたから、幼なじみみたいなことを言って、助けてやった。すみ子はそいつらより、俺のほうをヤクザだと勘ちがいしてたみたいだった。そりゃそうだ。スケコマシより俺のほうが、よっぽど人相は悪いよな。

それでも、お茶飲んで、飯食っていろいろ話をしてるうちに俺のことはわかってくれた。あいつの身の上も、そのとき聞いたんだ。

スケベ社長は、ほとぼりがさめたら電話しろって言ってたらしいけど、俺は反対した。そんなのあたりまえだよな。

だがそうなると、俺にも多少の責任はある。行きずりにはちがいないが、ともかく危ないところを助けて人生相談にも乗った手前、男の責任、っていうのかな。

なにしろすみ子のやつは、五年間工場から一歩も出ねえような働き者だったから、知り合いがいない。里に帰ろうにも、父親が戦死しておふくろが再婚したっていう複雑な事情がある。敷居が高い。まあそのあたりは俺も似た者だから、気持はよくわかった。

で、ともかくその日のうちに住み込みの仕事先でも探そうってことになった。二、三あたってみたんだけど、きょうのきょうじゃどれもうまくなくって、結局夜になっちまった。

そんな気はなかったんだ。ぶらぶら歩いているうちに大久保のホテル街に入っちまって、それでも俺、旅館の玄関で「一人でも泊めてくれますか」って訊いた。仲居は妙な顔しやがるし、すみ子のやつも気まずそうだったから、とりあえず一緒に部屋に上がった。

一晩中、手枕して里の話を聞いた。嘘じゃねえよ。泣き虫なんだ、あいつ。

朝方、俺のほっぺたを掌でくるんで、裕ちゃんに似てる、って言ってくれた。それで、惚れたな。

けど、惚れたからってやおらどうこうするほど俺はヤボテンじゃねえ。裕ちゃんはそんなことしない。で、「俺が裕ちゃんなら、おまえは浅丘ルリ子だな」って言ってやった。

嬉しそうだった。大ファンだって言ってたから。

見たろ、あいつ。浅丘ルリ子には似ても似つかないけど、芦川いづみだ。

あくる日、店がひけてから、映画館で暇をつぶしていたあいつと待ち合わせた。ちょっと怖かったな。待ち合わせた喫茶店に、来ないんじゃないかって思ってたから。それじゃあんまり切ねえよ。

俺はうまい話を持ってたんだ。昼休みに弁当食いながら店のやつらに知恵を借りた。そしたら、例の歌声喫茶で住み込みの女給を募集してるっていうじゃねえか。あそこならまあ水商売にしたって健康的だし、俺の目も届くしな、渡りに舟ってわけさ。

それでとんとん拍子に、すみ子はその晩のうちに柏木のアパートをあてがわれて、次の日から働き始めた。

アパートっていっても、六畳一間に三人だからな。遊びに行くわけにもいかない。経営者もマネージャーも先輩のウェイトレスも妙にお堅くって——おかげでまる一年間、清い交際を続けてるってわけさ。

今さら大久保の旅館でのことを悔やんでるわけじゃない。あれでよかったと思ってる。あいつはあと一年か二年して小金が貯まったら結婚しようって言ってくれてる。それも悪くはないと思うけど——俺には俺の夢っていうのがあるしな。

ブラジルの話か？

したよ、それは。一緒に行きたいって言ったけど、そりゃまずい。

どうしてかって、カッコ悪いじゃねえか。女は足手まといだし。第一、渡航費用ってのがハンパじゃないんだ。俺の分くらいは十二月までには何とか工面するけど——今はないよ、そんな金。けど、新潟の実家は最近スキーの民宿やって稼いでるから、頼み込めば何とかしてくれると思う。俺もすみ子と同じで敷居は高いんだけど、悪い時代にはずいぶん仕送りして、腹ちがいの弟と妹を高校に通わせてたんだから、まさかいやとは言えねえだろう。

考えてもみろよ。裕ちゃんがブラジル移民するのに、女を連れて行くか？

そりゃ決まってるさ。横浜の大桟橋でよ、泣きの別れ。

あたし、待ってるから。いつまでも、おばあさんになっても、ふくちゃんのこと待ってるからね。

よせやい。いい人ができたら、俺のことなんかスッパリ忘れな。じゃあ、行くぜ。あばよ――。


――ふくちゃんは話しながら、買ったばかりのジャック・ナイフを弄《もてあそ》んでいた。電気スタンドの下で、把手から飛び出すたびにナイフは生き物のように光った。

そのしぐさをずっと眺めているうちに、僕にはそれが、何かふくちゃんにとってたいそう意味のあるもののように思えてきた。映画に興奮して、衝動的に買ったものではなく、実は買うだけの理由がちゃんとあったような気がしてきたのだった。

もちろん物騒な意味ではない。ふくちゃんにとってのジャック・ナイフは、裕次郎みたいにカッコよく生きるための、お守りのようなものだったのだろう。

すみ子とは、それから何度も顔を合わせる機会があった。

秋口に神宮外苑で草野球の試合があったとき、ひとりで応援にきていた。長い髪をうなじでひっつめに束ねて、パラソルをさしていた。ふくちゃんとすみ子の仲は、店員さんたちの間では公然のものであるらしく、みんなにさんざひやかされていた。

木蔭で手弁当を食べる二人を見ながら、チームの監督である父は、

「いい子じゃないか。フクモトは所帯を持つつもりだろうね。だとすると仲人をしてやらなくちゃ」

というようなことを言った。それを聞いたとたん、僕はふくちゃんの夏の夜の独白を思い出して、胸が切なくなった。

新宿御苑に三人で行ったこともある。正しくは「三人で行った」のではなく、二人のデートに僕が割りこんだのだ。

日曜の朝、出がけのふくちゃんに「どこへ行くの」と訊ねたら、「デートだよ」と答えたので、「じゃあ僕も連れてってよ」と言った。

するとそのやりとりを黙って聞いていた祖父が、盆栽をいじりながら、「ふくちゃん、そうしろ」と、なかば命令したのだった。

男女の交際は不浄であるとはなから決めつけている祖父は、ふくちゃんとすみ子の噂をひどく気にしていた。堅物というよりも、あんがい因業《いんごう》だったのかもしれない。僕の知る限り、祖父は若い衆さんの恋愛を、少なくとも三つ四つはぶちこわしていた。

御苑の門ですみ子と会ったとき、ふくちゃんはさかんに言いわけをしていた。こいつ

を遊びに連れて行く約束をすっかり忘れていたもんで、悪い悪い、というようなことを言ったと思う。

すみ子は気だてのいい女だった。デートの邪魔をされて、むろんいい気持はしなかったろうが、そんなことはおくびにも出さずに僕と手をつないでくれた。ほっそりとした、そのくせ綿のように柔らかな掌だった。

芝生の上で手弁当を広げたとき、隣にいた家族連れと親しくなった。

「若いおとうさんとおかあさんで、いいわね、ぼく」

と、言われた。僕はデートの邪魔をした罪ほろぼしのつもりで、「うん」と肯いた。

ふくちゃんとすみ子は顔を見合わせて苦笑したきり、否定はしなかった。それからの一日は二人とも上機嫌だったところをみると、罪ほろぼしはできたのだろう。

僕は僕で、本当にこの二人が父と母だったらいいな、とふと思ったものだ。

ふくちゃんがついにブラジル行きの話を公言したのは、屋敷の森が真赤に色づいたころだった。

父と祖父と、お店の古い番頭さんが二人、ふくちゃんを囲んで夜遅くまで話し合っていた。酒は飲んでいたが、誰も酔っている様子はなく、ことにふくちゃんはずっと正座をしていた。

兄と二人で、奥座敷の襖のすきまに顔を並べて様子を窺った。

ふくちゃんは人々のかわるがわるの説得を、抗わずに聞いていた。「はい、わかってます」「おっしゃる通りです」と答えていたが、それは説得されているというふうではなく、揺るがぬ決心を表明しているように、僕には聞こえた。

祖父は、「生れ育った国を捨て、親兄弟を捨てる薄情者」というような一貫した論理で責め続けていたと思う。

父は、「これからの日本は急速に復興して豊かになる。おまえの選択はまちがっている」というようなことを言っていた。

番頭さんのひとりは、さんざ恩義を蒙った家に何の相談もなく、いきなり間際になって告白をしたふくちゃんの身勝手さをなじっていた。そんな心がけではブラジルに移民などしてもうまくいくはずはない、というわけだ。

もうひとりの番頭さんは、銀行員を辞めてうちの経理を任されていた人で、理路整然と説得をしていた。まるで帳面の点検でもするようにメガネをかしげてふくちゃんの差し出した書類を読みながら、渡航費用が高すぎることや、そのわりには移住後の受け皿が曖昧《あいまい》な点をさかんに指摘した。

その人の説によれば、近ごろ移民団を装った詐欺まがいの商売が横行しているという。これもその類いなのではないか、と。

襖のすきまからはよく見えなかったのだが、お膳の上にはいくつもの角封筒に詰まった書類が重ねられていた。それらをみんなで回し読みするうちに、どうやら怪しい商売ではない、という結論は出たようだった。

話し合いは夜更けまで続いた。何度も子供部屋に戻って、また偵察に出てきても、話は終わってはいなかった。

そのうち話し合いは、なごやかな酒宴になった。急にみんなが笑い出したので、いったいどうなったのだろうと気を揉んだ。

「日本男児の誇りを忘れるなよ」と祖父が言い、「だめだと思ったら意地を張らずに、いつでも戻ってこい。帰りの船賃ぐらいは送ってやる」と、父が大笑した。

それで、僕にも結論がわかった。ホッとしたと同時に、とても悲しい気持になった。大好きなふくちゃんが遠いところに行ってしまう。そして――すみ子は捨てられてしまう。

僕の中のふくちゃんは、誰よりも強くてやさしい人だった。ブラジル移民はふくちゃんの人生にはよく似合った。しかし、蚊帳の中での独り言を思い起こすにつけ、それは映画のシーンをわが身になぞらえてみただけで、ふくちゃんにはできるわけがないと思った。

(よせやい。いい人ができたら、俺のことなんかスッパリ忘れな。じゃあ、行くぜ。あばよ――)

それは、裕次郎のセリフだ。

ふくちゃんの身に大変な災いがふりかかったのは、ほんの何日かのちだったと思う。

二人の私服刑事が、突然やってきた。ねえやが大声で母を呼びながら廊下を走り回った。

「奥さま、ふくちゃんが、ふくちゃんが！」

僕はてっきり、ふくちゃんが交通事故でも起こしたのではないかと思った。

だが、そうではなかった。玄関の上がりがまちで、刑事はさも気の毒そうに、こんな説明をした。

「被害者の調書をとっているのです。フクモト・ユキオさんは営業に出てらっしゃるかで、きょうはまっすぐこちらにお戻りになるというんでね。ちょっと待たせていただきます――いえね、ブラジル移民の件、お聞きになってらっしゃるでしょう。もう出発まで間がないし。実はその主催者である『新日本ブラジル青年移民団』というのがね、きのう摘発されたんですわ。ヤクザがらみということで、前々から内偵はしていたのですが、挙げられぬうちにトンズラされちまいましてね。事務所はもぬけのから、書類もきれいさっぱり持ち去られているので、被害の内容が捉めんのです。明日の新聞に出れば問い合わせはあるでしょうけれど、とりあえず初動捜査ということで、事務所の前でまっさおになっていた被害者の方から、知る限りの応募者の名前を聞き出しましてね。それで、顔見知りのフクモト・ユキオさんの名前と勤務先がわかったのです。いやあ、災難ですなあ――被害金の回収は、難しいと思いますよ。罪は詐欺でも、お金に関しては民事ですからね。まったく困ったものですな。このところの移民ブームで、渡航希望者は跡を絶たない。被害者はみんな集団就職で東京に出てきて、青雲の志が破れた若者たち。もちろんまともな団体も多いんですよ。ブラジル政府の後援を受けて、外務省の認可も取っている業者ですね。でも、そんなことはブームにうかれ上がった若者たちには判別がつかない。むしろ言葉たくみに、積極的な勧誘をするところに集まってしまう。私たちも、まともな業者の紹介ぐらいはできますけどね、ただ、欺し取られた渡航費用までは、どうにもなりません——きっと、いい青年なんでしょうな、フクモトさんは。すでに被害者には、三人ほど会っているのですが、みなさん純朴というか、まじめというか、世の中の悪意をあまり信じない好青年ばかりでして……」

その日、帰宅したふくちゃんの様子を僕は憶えていない。たぶん僕自身にとっても相当なショックだったのだろう。だから、自然に記憶から消し去ったのだと思う。

ひとつだけ憶えている。ふくちゃんは家の人や若い衆さんが止めるのもきかず、オートバイに乗ってどこかへ行ってしまった。そして朝まで帰ってこなかった。

ねえやも起き出さぬ早朝に、ふくちゃんは足音を忍ばせて帰ってきた。それを憶えているのだから、僕はおそらくまんじりともせずに、ふくちゃんの帰りを待っていたのだろう。

梯子段に並んで腰をおろし、ふくちゃんは冷えきった革コートの中に、僕の体を包みこんでくれた。

歪んだステンドグラスが、屋敷の森の夜明けを七色に彩っていた。

「どこに行ってたの、心配したんだよ」

と僕は訊いた。ふくちゃんは答えずに、長いこと梯子段の黒光りする足元を見おろしていた。

きりきりと奥歯を嚙みしめて、ふくちゃんは嗚咽《おえつ》した。痛いくらいに僕の肩を抱き寄せ、ふくちゃんは片手で顔を被ってしまった。

「今さっきまで、すみ子と一緒にいたんだ」

「夜中じゅう、ずっと？　カゼひいちゃうよ」

「旅館にいたから、平気さ。俺、どうかしちまった。卑怯者だな」

「これから、どうするのさ」

独白というよりも、懺悔だったのではないかと思う。邪心のない子供は、ふくちゃんにとって懺悔を聞く神のようなものだったのではなかろうか。ふくちゃんは強くてやさしくて、そして孤独な青年だった。

「ブラジルに行く。どうしても行く」

「どうしてもって……どうやって行くのさ。もうやめなよ」

「すみ子に、ぜんぶ話したんだ。そしたらあいつ、金は作ってくれるって。ちょっと待ってってって」

のちに想像したことだが、その晩ふくちゃんは初めてすみ子を抱いたのだろうと思う。

ふくちゃんは梯子段に腰かけてぐずぐずと泣きながら、「俺は卑怯者だ、卑怯者だ」と、そればかりを言っていた。

その年がどのように暮れ、どんなふうに明けたのかはもちろん憶えていない。「徳川譜代のご家人、お馬廻り役三百石」という、ひどい時代錯誤の誇りを持っていた家のことで、暮れと正月はわけのわからぬ儀式にうめつくされていた。その年もやはり同じようなものだったのだろう。

新年の朝か、仕事始めの朝か、ともかくうちわの全員が揃った席で、ふくちゃんは突然宣言した。「俺、三月に出発します。今度は大丈夫です。暮れの結団式には、ブラジルの大使も来たし、外務省のお役人も来たし、新聞社も後援しているから」

事件以来、その話は禁忌だった。みんなが腫れ物にさわるようにしていたところに、本人の口からそんな宣言をされたのではたまったものではない。一瞬、気まずさと愕きとで、人々は沈黙した。

「応募者は抽選なんだけど、前のときの被害者には優先権があって――」

「金はどうするんだ」

と、父が呆れ果てたように言った。

「泣きつかれたって、わがままは聞けんぞ。ほかの若い者の手前もある」

「それは、大丈夫です。出発の十日前までに払い込めばいいから」

「大丈夫って、どう大丈夫なんだ。新潟のおやじさんとは電話で話したが、この間の金にはずいぶん苦労したと言っていた。だいたいおまえは——」

と、父は話しながら怒り出した。「だいたいおまえは、でかいことを考え過ぎるんだ。人生は地味な苦労の積み重ねだということをまったくわかっていない。うちの身代だって、闇市からどんなふうにしてここまできたか、知らぬおまえじゃなかろう」

「でも社長は教育があるし、頭もいいから——」

「士官学校の教育が何の役に立つ。ポツダム少尉が軍隊毛布一枚しょわされて、焼け野原に放っぽり出されたんだぞ。年寄り抱えて」

言いながら父は、失言に気付いたように祖父と祖母をちらりと見た。いらいらと言葉を嚙み殺して、父は吐き棄てるように言った。

「頭のよしあしなんて、人生には何の関係もない。要は、どれだけ辛抱できるかだ」

ふくちゃんは渡航費用の出どころを口にしなかった。そんなことは今さら問い糺《ただ》したところで仕方がないと思ったのか、父も母も、それ以上の詮索はしなかった。

僕が感じた悲しみは、それまでのものとはちがっていた。

ああこれでふくちゃんは、卑怯者になってしまうのだなと思った。

いさぎよさが、男子の美徳と信じられていた時代のことである。ましてや徹底的な男尊女卑の封建家庭に育った僕は、女に金をめぐんでもらうことがどれほど卑怯な、許しがたいことであるかをすでに知っていた。

ふくちゃんがそそくさと席を立ってしまったあとで、祖父と父はよく似た顔をつき合わせて囁き合っていた。

「……女か？」

「ほかに考えられんでしょう」

「まさかとは思うが、店の金に手をつけるようなことはなかろうな」

「そういう人間ではありませんよ」

「だが、女というのもなあ……」

それから父は、いっそう声を低めて、付き合っている女が近ごろ新宿の歌声喫茶をやめてキャバレー勤めを始めたらしい、と言った。

「キャバレーの女給か……」

祖父は痩せた体の空気を吐きつくすほどの深い溜息をついた。謹厳な明治の感覚からすれば、キャバレーの女給は娼婦と変わらなかったのだろう。

「許せんな。うちにもいちど来たことのある、あの娘だろう。よし、わしが言ってきかす」

立ち上がる祖父の兵児帯《へこおび》を、黙って聞いていた祖母と母が引きとどめた。

ふくちゃんもその娘ももう大人なのだから、他人のとやかく言うことではないと、女たちは口を揃えて祖父を諫めた。

そんなことがあってから、家族のふくちゃんに対する態度は急に冷ややかになった。

誰もが顔をそむける感じで、朝晩の挨拶にも応えぬほどだった。僕もふくちゃんの部屋に行くことを、祖母からはっきりと禁じられた。

ふくちゃんはとうとう見放されたのだと、僕は思った。

春になっても、ふくちゃんが家を出る気配はなかった。船会社の都合で計画が延期になったとふくちゃんはみんなに言い回っていたが、たぶんそうではあるまい。

「二十何万なんて大金、いくら女の体を切り売りしたって、簡単にできるわけねえよなあ」

若い衆さんの誰かが言ったそんな言葉が、僕の胸につき刺さった。

ふくちゃんは意地になっていたのかもしれない。

ついにふくちゃんの夢が実現される運びとなったのは、その年の夏のさかりだった。いや――もしかしたら、あくる年だったかもしれない。いずれにしろ輝かしい大空が両手いっぱいに拡がる、夏の朝のことだ。

目が覚めると、僕の机の上に「あるぜんちな丸」の模型が置いてあった。「二郎へ」と書いた紙きれがマストにささっていた。

びっくりして身仕度を整えた。玄関に見送りのライトバンが止まっており、さすがにその日ばかりは、家族もなごやかにふくちゃんを送り出そうとしていた。

キーちゃんという、ふくちゃんが目をかけていた後輩の若い衆さんが、長い付き合いの誼《よしみ》でふくちゃんを横浜まで送って行くことになっていた。

「二郎、見送りにくるか」

と、ふくちゃんが声をかけてくれたのは、僕の泣きッ面に気付いたからだろう。

「送ってってやれ」

と、祖父が言った。

あまり気は進まなかった。いつかこの日がくることを覚悟はしていたのだが、できることなら何の儀式もせず、僕の知らぬうちにいなくなっていて欲しかった。僕にとってのふくちゃんとは、そういう人だった。

運転をしながら、ふだんおとなしいキーちゃんは、さかんにふくちゃんを責めた。すみ子のことを言っていた。キーちゃんはふくちゃんとは同郷で、何年かあとから集団就職で上京した人だった。だからたぶん、誰よりもふくちゃんのことはよく知っていたのだと思う。

少し車に酔って、うしろの座席に寝転んだまま、僕はふくちゃんがもっと責められればいいと思った。ふくちゃんは抗わずに、じっと窓の外を見つめていた。

「まったく、裕次郎でもあるまいに。カッコつけやがって」

答えぬふくちゃんに向かって、キーちゃんはそんな悪態をついた。

その日、僕が横浜の大桟橋で見た光景は、もしかしたら僕の妄想かもしれない。

できればそうあって欲しいと希《ねが》っていた想像が、現実の記憶にすりかわってしまったとしても、ふしぎではないと思う。幼時体験とは、往々にしてそういうものだから。

だがここは、現実にあったことだと信じよう。

見果てぬ夏空の正中に、太陽が眩しかった。

模型とそっくり同じ「あるぜんちな丸」が、天然色の写真とそっくり同じように、埠頭につながれていた。税関を抜け、見送りの群衆に混じって、僕は足元の小さな影を踏みながら桟橋を歩いた。

少し前を、ふくちゃんとすみ子がつかず離れず、精妙な間隔を置いて歩いていた。ふくちゃんは、空より青い色の開襟シャツの上に、まっさらの麻の背広を粋に羽織り、パナマ帽をあみだに冠っていた。

すみ子は襟にレースの飾りのついたブラウスに、花柄のフレア・スカートをはいていた。白いパラソルが所在なげに、くるくると回った。

何かの拍子で振り向いたとき、僕はすみ子の変わりように驚いた。いつもうなじでひっつめていた長い髪にはパーマネントがかかっており、唇が燃えるように赤かった。

それはそれで、とてもきれいだとは思ったが、例えて言うのなら百合の花が急に薔薇の花に生けかわってしまったような気がした。

舷側におろされたギャングウェイの下で、ふくちゃんとすみ子は長いこと立ち話をした。僕とキーちゃんは少し離れた場所で、ラムネを飲みながら出航の時間を待った。

僕らはみな、三十分も真夏の陽に灼かれていたと思う。悲しみも切なさも、車に酔った気分の悪さも、目の前に提示された確かな現実の中で、からからに干上がってしまっていた。

さしあたっての問題は日射病にかかることで、僕はキーちゃんの買ってくれたカチワリの氷を、野球帽の頭の上にずっと載せていた。

出航の時間が迫るほどに、桟橋の上の若者たちは手を振りながらギャングウェイを登って行った。甲板には人が鈴なりに溢れ、桟橋の見送り人たちとの間にかわし合う声が夏空を押し上げるように次第に膨らんだ。

せめて映画のように、ふくちゃんとすみ子がキスをすればいい、と僕は思った。二人の精妙な間合いは切迫する時間とともにせばまっていた。ほとんど胸を合わせて、手を握り合っていた。

恋人を見上げながら、すみ子は何を言ったのだろう。

(あたし、待ってるから。いつまでも、おばあさんになっても、ふくちゃんのこと待ってるからね)

ふくちゃんは喧噪の中で、何と答えたのだろうか。

(よせやい。いい人ができたら、俺のことなんかスッパリ忘れな。じゃあ、行くぜ。あばよ)

ふくちゃんは唇をひしゃげて笑い、すみ子の手を振りほどくと、もうあらかた人影のなくなったギャングウェイを、大股で登って行った。

デッキの高みに白い背広が登りつめた瞬間だった。突然、すみ子がパラソルを閉じ、胸をしぼって叫んだのだ。

「ふくちゃん！　あたし、待ってるから。いつまでも、おばあさんになっても、ふくちゃんのこと、待ってるからね！」

ふくちゃんはギャングウェイの上に、根の生えたように立ちすくんでしまった。

「愛してるの！　一生、ずっとずっと、ふくちゃんのこと、愛してるからね！」

ふくちゃんの背中が、照りつける太陽の下で水を奪われた花のようにしぼんでいった。

出航の銅鑼《どら》が鳴った。ギャングウェイを引き上げるウィンチが回り始めた。

あばよ、と言うかわりに、ふくちゃんは振り返って、鎖の軋むギャングウェイを駆けおりた。制止しようとする船員の手を押しのけ、ふくちゃんはタラップを飛びおりると、すみ子の体を力いっぱい抱きしめた。

「ブラジルへでもどこへでも、とっとと行っちまえ。あばよ！」

ふくちゃんは船に向かって吐き棄てるようにそう言うと、すみ子の手を引き、人ごみをかき分けて歩き出した。

「行くぞ、二郎」

と、キーちゃんがにっこりと笑って僕の背を押した。

ふくちゃんのパナマ帽は、流れを溯る背鰭《せびれ》のように、浮きつ沈みつしながら埠頭を離れて行った。

「あるぜんちな丸」が雄々しい汽笛を鳴らした――。

ふくちゃんからジャック・ナイフをもらったのは、日ざかりの山下公園だったと思う。今でもときおりそれを机のひきだしから取り出して、四十年の間少しも緩んでいないバネを確かめ、澄み渡った刃を眺める。

幼い日の記憶は曖昧なものだ。だからもちろん、このジャック・ナイフの来歴は定かではない。

日ざかりの山下公園で、ポイと胸元に投げ渡されたのは確かなのだけれど、その人がどこへ行ってしまったのか――恋人を捨てて海を渡ったのか、あるいは翻意して恋人とともにどこかへ消えたのか、僕にはよくわからない。

真実を知っているのは、このジャック・ナイフだけなのだろう。

ピエタ

1

スペイン広場の白い階段の下で、その人は大理石の彫像のように立っていた。

六月の陽光は猛《たけ》くはないが、たとえば研ぎ澄まされた刃《やいば》のように、その人のパラソルの上や、今し腰を上げたバルカッチャの泉の水面《みなも》に爆《は》ぜ返っていた。

古写真のおもかげのほかに、その人のことは何も知らない。

「ゆうきをだして、トモコ」

不器用だが誠実な日本語でミスター・リーが囁いた。

「ごめんなさい、李さん。私、もう動けない。足が一歩も前に出ないの」

階段の下から見れば、きっと自分もトリニタ・ディ・モンティ教会の鐘楼の前に佇む、白い大理石像のようだろう。この日のために用意した花嫁のような純白のドレスを、友子は今さら悔やんだ。

「がんばって、トモコ。やっとここまできたのに。ほら、あと五十メートル」

背中を押されて、友子は踏み応えた。スペイン階段は、永遠の距《へだた》りだった。

ホテルで荷を解き、セピア色に灼けた古写真を眺めているうちに、胸のときめきが怯えに変わってしまった。待ち合わせの時間が迫って、ミスター・リーにドアをノックされても、しばらくはベッドから腰を上げることすらできなかった。

みちみち心の準備をしようとホテルを出たものの、憂鬱な石畳の坂道は物を考えさせてはくれなかった。そしてスペイン広場は、思いがけなく近かった。

「だいじょうぶ。ぼくがついているから」

「そんなつもりであなたと来たわけじゃないわ」

ホテルを出てからずっと、ミスター・リーの朗らかさが気に障《さわ》って仕方がなかった。懸命に友子の気持を解きほぐそうとしてくれているのはわかるのだが。

「ほら、きがついたよ。こっちにてをふってる。みてごらん、トモコ。トモコのおかあさん」

凍《こご》えついた足元から目を上げ、石段の下で手を振る母の姿を見たとたん、友子はきつく瞼を閉じた。

「おかあさんなんて、気やすく呼ばないでよ、李さん。私、あの人のこと何も知らないんだから」

「でも、トモコのおかあさんなら、ぼくのおかあさんになるかもしれないです」

それから小声でミスター・リーは、「ちがいますか、トモコ」と言い添えた。

「勝手に決めないでよ。私、李さんが考えているほど李さんのこと好きじゃないわ」

ミスター・リーが理解できるように言うと、言葉はかえって辛辣になった。ひどい言い方だと思う。友子は自分の夫になるかもしれない中国人の横顔を見た。

李英《リー・イン》という名前で、年齢は友子と同じ三十歳。五年前に中国福建省から留学生として来日したらしいのだが、その後どういういきさつがあったものか、今は大久保の裏町で小さな中国食材店を営んでいる。「ミスター・リー」という彼の通称は、店の名だ。

客もアルバイトの留学生たちも、みな彼をそう呼ぶ。本人はいたく気に入っているらしいのだが、貧相な小男で身なりも悪い彼にはまったくそぐわない。つまり多くの人が洒落でそう呼んでいることを、本人だけが気付かずにいる。

友子の辛辣な言葉をいちど咀嚼《そしやく》してから、ミスター・リーは中学生のように薄い口髭を歪めて、ヘヘッと笑った。

「何がおかしいの」

「あ、ごめんなさい。わらいごとじゃないですね、トモコ、三十ねんぶりにおかあさんとあう」

「三十年じゃないわ。二十四年よ――そうじゃなくて、私がそれほどあなたを好きじゃないって言ったことが、どうしておかしいの。それこそ笑いごとじゃないでしょうに」

ミスター・リーはぺっとりと七三に分けた髪に手を当てて、ああ、と考えるふうをした。

「それ、トモコのくちぐせですね。もうなれました。プロポーズのときも、そういってたし」

「つまらないことまで憶えているのね」

「つまらなくないです。けっこんしようかっていってくれたですね。うれしいですよ、へんないいかたでも、うれしいですよ」

たしかに変な言い方だった。何度目かの食事を共にしたとき、いきなりペンダントを贈られた。あまり趣味のよくはない安物だったが、男性からのプレゼントにはとんと縁のなかった友子には嬉しかった。一方的な好意に応えるつもりで、悪い冗談が口から滑り出たのだった。

(ねえ李さん。私、あなたのことべつに好きでも嫌いでもないけど、あなたとなら結婚してもいいよ)

一瞬、ミスター・リーは顔色を変えた。ジョークに受け取らなかったのだと気付いたとたん友子はうろたえたが、言葉を取り戻すことはできなかった。

「プロポーズしたわけじゃないのよ、李さん。結婚しようか、なんて言った覚えはないわ。結婚してもいいよ、って言ったはず」

日本語に苦慮しながら、ミスター・リーは瞼をしばたたいた。

「でも、けっこんしますね」

「たぶん」

きっぱりと言ったとたん、枷《かせ》を解かれたように、友子の足はトリニタ・ディ・モンティ教会のテラスを離れた。ファサードの両袖に弧を描いて、スペイン階段は広場へと下って行く。

もう迷いはなかった。一段ごとに、バルカッチャの泉の縁に佇む母の姿が近付いてくる。

母。私を捨てた女。泣きわめく六歳の少女をうらぶれた郊外の駅の改札に置き去りにして、男のもとに走った女。

光の中に手びさしを上げる母の姿をきっかりと見くだしながら、友子は唇だけで言った。

「李さん、どこかでアイスクリームを買ってきてよ」

「え？」

「そのくらいの気がきかなくちゃ、フィアンセの資格はないわ。私をヘップバーンにしてよ」

「でも、なんていえばいいの。わからない」

「ウン・ジェラート・ペル・ファヴォーレ」

友子の言葉をいちど復唱すると、ミスター・リーはスペイン階段を駆けおりて行った。センスもマナーも最低だけど、ミスター・リーは頭がいい。

一歩を刻むように、友子は石段を下った。母がパラソルを振った。オレンジ色のTシャツにジーンズ。

記念すべきこの日に、もっとましな格好はできなかったのかしら。つまり、あなたにとってはその程度のことね。私はこの日のために、真白なドレスを買った。髪もきれいに染めた。そして——あなたの息子にふさわしい男も連れてきたわ。ほら、ごらんなさいな。いま広場を駆け回っているあの人よ。汗じみたポロシャツの襟を立てて、おまけに腰から尻尾を出してる。背は私と同じくらいしかない。あ、つまずいて転んだ。スニーカーのかかとを踏んづけたりしているからよ。

私、たぶんあの人のお嫁さんになります。一年もお付き合いして、まだキスも許してはいないの。どうしてだか、わかりますか。

ローマで観光ガイドをしているというあなたに会って、あなたの住む町のホテルで、あの人に抱かれるつもり。あなたが用意してくれたホテル・エデンの部屋で、あなたに捨てられたあの日からずっといい子でいた私を、ぐしゃぐしゃに壊します。そして、最低の人生を歩き出すの。

二十四年前の別れのとき、あなたが駅の改札で私に言ったことを憶えていますか。

いい子でいるのよ。友子がいい子でいれば、おかあさんはきっと帰ってくるからね。

駅のまわりには梨の花が満開でした。小学校に入ってすぐ、まるで入学式に出席することが母としての最後のつとめだったみたいに、あなたは私を捨てた。

ずっと、いい子だったと思う。

勉強もちゃんとした。お勝手仕事もしたし、おじいちゃんの畑も手伝った。いい子にしていれば、あなたが戻ってきてくれると信じていたから。どこかで見張っているんだと、いつも思っていたから。

だから、毎朝目が覚めて、あなたがいないとわかったとき、学校から帰って、やっぱりあなたが帰っていないとわかったとき、つまり毎日毎日、私はまだ悪い子なんだと思った。

お洗濯をしないからだ。おとうさんのお靴を磨かないからだ。蟻ん子を踏んづけたからだ。寝坊をして犬のお散歩をさぼったから、髪を洗わなかったから、にんじんを食べなかったから、おばあちゃんのお見舞に行って、すぐに帰ってきちゃったから。漫画を読んだから、テレビを見たから、おとうさんに口応えをしたから。

ひとつひとつ、思いついたことはみんな、やりました。あなたに会いたかったから。悪い子だった私に愛想をつかしてどこかへ行ってしまったあなたが、帰ってきてくれる日を信じていたから。

中学に入ったころ、おとうさんと喧嘩をしました。役場でいやなことがあって、おとうさんは悪いお酒を飲んで帰ってきたの。しつこくされて、私は抗った。

言葉のはずみで、言ってしまった。

おとうさんなんか嫌い。おかあさんに会いたい。どうしても会いたいって。

私があんまり駄々をこねるから、おとうさんは怒った。それで、言ってはいけないことを言った。

おかあさんは男と駆け落ちしたんだ。あんなもの、忘れろ、って。

すごいショックだった。誰よ、男の人って、誰なのよって私は訊いた。保険の外交をしていた丸山さん。私、あの人よく知っていた。そういえば、いつもうちにきて、縁側で休んでいたっけ。

おとうさんも、それを口に出したとたんに泣き出した。おじいちゃんが居間に駆けこんできて、おとうさんを殴りつけたわ。

ばかやろう、ばかやろうって、おじいちゃんはおとうさんを何度もぶった。

トモ、おやじの言ったことはぜんぶ嘘だぞ。そんなことあるはずなかんべ。ぜんぶ嘘だかんな。嘘だから、忘れちまえ。

それからおじいちゃんに手を引かれて多摩川に行きました。途中、畑の道を通ったとき、まだ袋をかぶったままの梨をひとつもいで、野良着のおなかでごしごしこすって、おじいちゃんは私にくれました。

トモ、まだちいと早いけんど、早生《わせ》だから甘いでよ。泣くと咽《のど》が渇くべい。

じゃあもうひとつもいでよ、と私は言った。おとうさんにも食べさせてあげたかったから。

多摩川の河原で、お月さまを見ました。きっとどこかでおかあさんもこのお月さまを見ているだろうって思った。もちろん、そんなこと口には出さなかったけど。

ほかにもつらいことがたくさんありました。

近所の人の陰口も耳に入った。いじめっ子に、はっきりとおかあさんのことを言われた。

でも、一番つらかったのは、そんなことじゃない。

私、子供のころ体が大きかったから、まっさきに生理がきちゃったの。学校で教えてもらうより先に。おばあちゃんも亡くなったあとだったから、私、何も知らなかった。

その日は一日じゅう気分が悪かった。学校の帰りがけにおトイレに行ったら、お尻から血が出ていて、病気にかかったんだって思った。とても怖かった。死んじゃうと思ったの。それで、しくしく泣きながら松岡医院に行った。憶えていますか。あの飲んだくれのお医者さん。

蟬の声が私を嗤《わら》っていた。もう何日かで夏休みなのに、きっと入院して、手術もされるんだって思った。

ドアが開けられずに、駐車場の土の上にしゃがみこんで、ずっと泣いていました。あのときばかりは、声に出しておかあさんの名を呼びましたよ。いくども、いくども。

もう堪忍して下さい。まだ悪い子だけれど、きっといい子になります。だから帰ってきて下さい。お願いします。今すぐ帰ってきて下さい。もっともっと勉強します。にんじんもぜんぶ食べます。漫画も読みません、テレビも見ません。お寝坊もぜったいしないから、ちゃんと六時に起きて、コロのお散歩に行って、うんちもきちんと拾いますから、だからどうか、友子のところに帰ってきて下さい。今すぐ帰ってきて下さい。お願いします。お願いします。

私の肩をそっと抱き起こしてくれたのは、あなたではなく――看護婦さんでした。

あのときのことを思い出すと、今でも涙が出ます。いくら忘れようとしても、夏がきて、蟬が鳴き始めると思い出してしまいます。

あんなにお願いしたのに、あなたは帰ってきてくれなかった。

あのころは、まだ丸山さんと一緒だったのですか。どこかの知らない町で、愛した男の人と暮らしていたのですか。私の声が、聴こえなかったのですか。

あなたのしたことがすべてわかる齢になっても、私は信じていました。いい子になればあなたは帰ってきてくれるって。帰ってこられなくても、私を迎えにきてくれるって。

中学校の修学旅行から帰ったあと、バッグの中味はそのままにしておきました。あなたから電話があったら、そのバッグひとつを持って出て行けるように。何年も、そのバッグは机の下に置いてありました。

新しいおかあさんが家にやってきたのも、そのころです。悪い人じゃなかったけれど、好きにはなれなかった。どうしても。申しわけないと思ったけど――そんなの、当り前ですよね。

じきに妹と弟が年子で生れました。やっぱり申しわけないけど、可愛いと思ったことはありません。今でも。

高校は、国立《くにたち》ですよ。同じ学年で合格したのは、私を入れて四人だけです。大学は、高校のすぐ隣にある有名なキャンパスです。社会学部に行って、大手の出版社に就職しました。

現役で合格して、すぐに家を出ました。初めは賄《まかな》いつきの下宿屋さん。二年生からアパートを借りました。

家にいるのがいやだったこともあるけれど、新しいおかあさんやおとうさんに、迷惑をかけたくなかったの。それがいい子のすることだって思った。

おじいちゃんは毎週のように、バイクに乗ってアパートにきてくれました。

ごめんなさい。私、泣きます。

スペイン階段を降りきって、あなたの前に立ったら決して涙は見せません。立ち止まって、一分間だけ泣かせて下さい。

おじいちゃんは、私のせいで死んでしまいました。

三年生の夏の終わりに、梨を持ってきてくれたとき、ボーイフレンドと鉢合わせしちゃったんです。

おじいちゃん、びっくりして、口もきけないくらいびっくりして、アパートの階段を何度も上がったり下りたりしてました。それからやっと気を取り直してね、酒屋さんで一升瓶を買ってきて、ボーイフレンドと飲み始めた。

帰りぎわに、背中を向けたまま、こう言いました。

トモ、淋しかろうがよ、体だけァ大切にしろや。じいちゃん、おまえだけが心配だ。

大丈夫。私、おじいちゃんが悲しむようなことは、何もしないから。いい子にしているから。

本当に、おじいちゃんの悲しむようなことは何もしていなかった。いい子だったと思う。

でも――

ごめんなさい。あと一分、泣きます。あなたに背中を向けるのは、ためらっているわけじゃないわ。誤解しないで。

おじいちゃん、その日に亡くなりました。

酔っ払ってバイクを運転してね、甲州街道でダンプカーに轢《ひ》かれたの。

たったひとりだけ私にやさしくしてくれた人、私のためだけに生きてくれていた人、私を捨てなかったたったひとりの人は、結局私のせいで死んでしまいました。

七十四歳でした。事故はお酒のせいばかりではないと思います。ボーイフレンドをお部屋に上げていたことが、とてもショックだったのでしょう。たぶん帰るみちみち、私の育ってきた一部始終を、アルバムを開くように思い出していたのだと思います。だからダンプカーが目に入らなかった。

もう、泣きません。一歩ずつ、しっかりとあなたに近付きます。

恋はいくつもしました。私はいい子だから、数は少ないけれど、いいかげんな気持でお付き合いをした人はひとりもいません。相手の男の人もそれは同じ。私は私が愛する以上に、男の人から愛されました。

プロポーズをされたことも一度あります。とてもいい人で、結婚をする条件はすべて揃っていました。売り出し中の若手イラストレーターで、背が高くて、ハンサムで、性格も申し分のない人でした。

一年間仕事上のお付き合いをして、そのうちプライベートにデートをするようになって、すぐに愛を告白されました。男と女になったのは、さらに何ヵ月もあとのことです。その順序だけでも、彼がどんなに誠実な人かはわかりますね。とてもいい人でした。

プロポーズされたのは、ときどき行っていた新宿のラブホテルです。

どうしてでしょう。彼が急に真顔になって、トモコ、結婚しようよ、って言ったとき、私、逃げ出しちゃったんです。そそくさと身仕度をして、ホテルを飛び出しちゃった。

あっ、いけない。打ち合わせを一件忘れていたわ、って。

それからどこをどう歩いたかも、よく憶えていない。気がついたらミスター・リーのお店の前で、蟹と遊んでいました。

上海蟹って知っていますか。生きたまま手足を紐で縛られて、李さんのお店の段ボール箱の中に積まれていたんです。

気の毒な蟹を見つめながら、気持を整理しました。

彼は私にとって理想の人だった。みんながすてきな人だって言っていた。私は器量もスタイルも十人並だし、もう二十九だったし、まさか彼のほうからプロポーズをしてくれるとは考えてもいなかったんです。無口な人だったから、愛情もよくわからなかった。私はとても愛していたけど。

蟹を見つめているうちに、わかったんです。どうして彼から逃げ出したのかが。

幸福になりたくなかった。

あなたに会いたくて、私はいい子になった。誰からも愛される、完全な女だったと思う。

でもその結果、もともと縁もゆかりもない人が、私に幸福を与えてくれる。これはひどい話ですね。そうは思いませんか。だって、六歳のとき私を捨てたあなたが、結果的に私を育て、私の人格を作り、すばらしい幸福を私にもたらしたことになるんですから。

手足を縛られたまま、苦しげにあぶくを噴き続ける上海蟹を見ているうちに、私、泣いてしまいました。膝を抱えて。

どうかしましたか。なにかかなしいですか――そう声をかけられて顔を上げると、李さんが立っていたんです。よれよれのシャツを着て、不精髭を生やした貧相な中国人。

そのときはっきり思ったの。こういうのと結婚すればいいんだって。

あと十メートル。

なるほど。あなたが私を産んだ人ですか。私を産んで、たった六年間だけ育てて、駅の改札に捨てた人ですか。

にこにこして、何が嬉しいの。

いちおう礼儀ですから、私も笑います。でも、おかあさんとは呼びませんよ。口がさけても。

どう。いい子になったでしょう。

永井友子。三十歳。一橋大学社会学部卒。今のところ独身。身長は一メートル六十ちょっとしかないけれど、五センチぐらいは高く見えます。背筋がいつもピンと伸びているから。五十万部も売る月刊女性雑誌の副編集長をしています。業界では知らぬ人のいない辣腕で、もちろん同期の中ではぶっちぎりの出世頭。

さあ、よおくごらんなさいな。

これがあなたの捨てた娘。おかげさまでこんなにいい子になりました。あなたがいつまでも迎えにきてくれないから、とうとうこっちから探し出しましたよ。住民票を追いかけて、持てる力を総動員してね。

ローマで観光ガイドをしていたなんて、まあ格好のいいこと。

私、笑います。あなたが笑っているから。ちっとも嬉しくなんかないけど、マナーでしょう、これは。

「ブォンジョルノ！」

母は満面で笑いながら、片手を挙げた。

とっさに友子は、正確なイタリア語で言った。この笑顔を消してやる。

「スクーズィ・セ・ロ・ファット・アスペッターレ、ラ・リングラーツィオ・ディ・アヴェルミ・アスペッタータ」

お待たせしてすみません。待っていてくれて、ありがとう。

母の笑顔は凍りついた。流暢なイタリア語がよほど意外だったのだろう。間近に向き合って笑いかけながら、友子は追い討つように言った。

「フェリーチェ・ディ・コノッシェルラ、ミ・キアーモ・トモコ・ナガイ」

お目にかかれて嬉しいです。永井友子です。

「ミ・カピッシェ？」

呆然とする母に向かって、私の言葉がわかりますか、と友子は言った。

「……スィ。わかるわ。フォルミダービレ。とてもすてきな発音です」

「ミ・キアーモ・トモコ・ナガイ。レイ・コメ・スィ・キアーマ」

もういちど名前を告げ、母の正確な名を訊ねると、唇が怒りに慄えた。

「ミ・スクーズィ。ミ・キアーモ・チヨコ・アンジェラ・モラーナ」

友子はたまらずに目を伏せた。サンダルをはいた素足に、母は真赤なペディキュアを塗っていた。

チヨコ・アンジェラ・モラーナ。母の名前。二十四年前は永井千代子という名の、農家の嫁だった。

「きれいになったわね、トモちゃん」

「グラツィエ」

「日本語でいいのよ。忘れてやしないから」

俯いたまま、友子は心の中で呟いた。

観光ガイドをしているのだから、忘れるわけないじゃないの。日本語は忘れなくても、私のことは忘れていたくせに。二十四年間、一通の手紙さえ書いてはくれなかったくせに。

「イタリア語は、どこで？」

答える必要はないと思った。自分の苦労は何ひとつ語るまいと心に決めていた。

「ウニヴェルスィタ」

「大学で？——偶然かしら」

友子は俯いたまま顎を振った。偶然ではないのだ。

祖母の葬式の席で、親類の噂話を聞いた。ちよさんは日本にはいないらしい、と。その噂に呪縛された。中学のとき英検の三級を取った。大学を卒業するときには、英語のほかにフランス語とラテン語が話せるようになっていた。

唇を噛んで、友子は顔を上げた。泣いてはいけない——。

なぜだか、わかりますよね。あなたがどこの国にいるのかは知らなかったけれど、いつか会えると信じていたから。そのときはきっと、日本語を忘れてしまっているだろうと思ったから。

でも、愚痴を言うためじゃないの。どんないきさつがあったのかは知らないけど、あなたは母国を捨て、母国語を捨ててしまうほどのひどい苦労をしただろうと思ったから。だから私は、あなたと会ったときに、あなたのたったひとりの娘として、あなたの苦労をみんな聞いてあげたかった。誰にも言えないあなたの愚痴を、あなたの言葉で正確に聞いてあげたかったの。

それだけは、どうしてもしてあげたかった。ラテン語は得意だから、イタリア語は簡単でした。

「フィアンセは？」

母が訊ねるそばから、ミスター・リーが汗みずくになって駆け戻ってきた。

すてきよ、李さん。今のあなたは私の理想の人。スペイン広場のどこに、これほど貧相で、不細工で、だらしのない男性がいるでしょう。

「ごめんなさい、トモコ。ホンコンのツアーがいってた。スペインひろば、アイスクリームたべてはだめ。よごれるから。そういうきそくだって。だから、うってない」

最高よ、李さん。

友子はそこで初めて、日本語を口にした。

「紹介します。私のフィアンセの、リー・インさんです。皮肉なものですね。私、言葉がうまく通じない人を選んでしまいました」

鼠のようなミスター・リーの顔に目を瞠《みは》りながら、母はようやく、

「ピアチェーレ、はじめまして」

と言った。

友子は微笑を取り戻して、六月の空を見上げた。雲ひとつない、イタリアン・ブルー。スペイン階段の上には、トリニタ・ディ・モンティ教会の二つの鐘楼が、夏空を押し上げるようにそそり立っている。

「エッペーネ……ポトレッペ・アッコンパニャルミ・フィーノ・ア・サン・ピエトロ。ブオナ・ジョルナータ！」

さあて、サン・ピエトロ寺院に連れて行ってもらいましょうか。では、よい一日を！

バルカッチャの泉にハンカチをひたすと、友子は先に立ってコンドッティ通りを歩き出した。

2

「ローマは、何度目？」

「初めてなんです。どういうわけか縁がなくて」

女性誌の記事は海外旅行とブランド・ファッションにうめつくされている。とりわけ語学に堪能な友子には、海外出張の機会が多かった。しかしなぜかいつも、ローマは友

子に背中を向けた。

神様の配慮だったのかもしれない。

「足、大丈夫？　少し歩くけど」

きょうは涼しいから、バチカンまで歩いてみようと母は言った。意思を確かめずにことを運ぶ、ベテランガイドのしたたかさを感じる。もちろんこの手のガイドは、最も信頼に足るのだが。

「そちらこそ、素足にサンダルで平気なんですか」

歩きながらイタリア人のしぐさで肩をすぼめ、母はお道化《どけ》た。

「ローマの石畳にはこれが一番よ。硬い靴は膝に響くし、スニーカーはかえって靴ずれができる。パンプスなんてもってのほか」

ドイツ占領下の時代に舗装されたアスファルトを、イタリア人は戦後すべて元通りの石畳に敷きかえたのだと、母は誇らしげに言った。

「どうして？」

「センス」と、母は教師のように人差指を振った。「イタリア人は美しいことを何よりも優先するの。どんなに便利でも、きたないものはだめ。それに、性能のいいものは美しいって信じている」

ローマ名物の黄色いポンコツタクシーが、クラクションを鳴らしながらすり抜けて行った。

「フィアットも？」

「さあ」と、母はまた肩をすぼめて笑った。

車から友子をかばった母の掌の一瞬の感触が、いつまでも腕に残った。きっと母の掌にも、娘の肌ざわりは残っているのだろう。遠い記憶の底に眠るたがいの感触を思い出しながら、二人はしばらく黙りこくって歩いた。

「彼と、お式はいつ？」

母は肩ごしに拇指《おやゆび》を立てた。ミスター・リーは少しうしろから、友子のバッグを抱えてついてくる。

「式はしません」

「あら、どうして？」

「彼の親族が出席できないから。ひとりで働きにくるのだってたいへんなんですよ、中国は」

母は鼻で溜息をついた。

「あなたのほうのご事情は？」

「それは、ノーコメントです。もちろん事情がないわけじゃないわ。ご想像にお任せします」

母は大きなショルダー・バッグをかき回して、サングラスを取り出した。

少し淋しい気がした。濃い色のレンズが一重瞼を隠してしまうと、母は日本人には見えなかった。おそらくこのさき一生見ることのないだろう母の顔を、心に刻みつけておきたかった。

「ホテル・エデンはいかが？」

「ありがとうございます。あこがれのホテルでした。きょう一泊だけじゃもったいない」

「ローマに一泊というのは、珍しいわね。あとのご予定は？」

「フィレンツェ、ボローニャ、ヴェネツィア。帰りにはパリにも二泊します」

「何なら、ずっとご案内するわよ。それとも、おじゃまかしら」

母の言葉に悪意はない。だが友子は素直に聞くことができなかった。

じゃまよ、当り前じゃないの、と友子は胸の中で呟いた。思いをとどめて、口から出た言葉にはかえって刺《とげ》があった。

「ご好意はありがたいけど、遠慮しておきます。それじゃあ、ローマを一泊だけにした意味がありませんから」

自分はいったい、何をしにきたのだろう。

復讐のため？　それとも、ひとめだけ母を見るため？　よくわからない。

ただひとつだけ、はっきりしていることがあった。母のためにではなく、自分自身のために。自分のみじめな栄光に、決着をつけるため。

噴き出る汗を濡れたハンカチで拭い、友子もサングラスをかけた。

もう憶えたでしょう、あなたのたったひとりの娘の顔。目元がそっくりですね。それはあなたにもわかったはず。淋しい感じのする一重瞼です。どんなに笑っても、日ざかりの井戸のように笑わない、淋しい目。そのくせいつも物欲しげな目。人前では無感情に澗れているのに、ひとりになればたちまち滾々《こんこん》と涙が溢れる、気まぐれな目。あなたと、そっくりです。

理不尽ですよ。あなたから与えられたものなど、何ひとつないというのに。

二十分ほど歩いて、テヴェレ川の河畔のカフェで休んだ。ローマの母なる川の両岸には、こんもりと繁ったマロニエの並木が、緑色のモールのようにつらなっていた。

「向こう岸にある円いお城が、有名なサンタンジェロ城。サン・アンジェロ、つまり天使のお城ね。初めは紀元二世紀に、ハドリアヌス皇帝の霊廟として造られたんだけど、六世紀にペストが大流行したときに大天使ミカエルがあそこに姿を現わして以来、礼拝堂になった。でも本当は要塞なのよ。バチカンとは長い石の廊下がつながっていて、有事の際には法王が逃げこむの」

お詳しいんですね、と口に出してしまってから、友子は自分の愚かしさに呆れた。母が国家資格を持つ観光ガイドだということを、すっかり忘れていた。

カフェ・ラッテを呑みながら、母は煙草に火をつけた。テーブルに肘をついて、マロニエの並木に目を細める。赤く染めた短い髪は、とても形がよかった。

「トモコ、やっぱりにてますね。よこからふたりみると、そっくりです。かみがながいのと、みじかいのちがい」

「齢もちがうわよ、李さん」

と、母が笑いながら言った。

「そう。親子ほど」

友子のきついジョークに応えたのは、ミスター・リーだけだった。

テヴェレ川の乾いた風が吹き抜ける。

母の吐き出す煙草の煙を追って、友子は木洩れ陽を見上げた。マロニエの葉がビザンチンのモザイク画のように、きらめき翻る。

重い沈黙の果てに、友子はようやく決心した。

この陽光の翳る間《ま》に、この人のことをできるだけ知っておこう。

そして許された時の間に、誰にも言えなかったこの人の愚痴を、できる限り聞いてあげよう。

目を閉じて、決して怒らないと心に誓ってから、友子は訊ねた。

「あの、さっき聞いたお名前について、教えて下さいますか」

母はほんの少しとまどい、それから殻の割れたように、にっこりと笑った。

「チヨコ・アンジェラ・モラーナという、お名前の由来についてです」

「スィ」と肯いてから母は、乾いたガイドの口調で答えた。

「モラーナは別れた亭主の名前。どうしようもない女たらしだったわ。アンジェラは、その人がつけてくれた」

サングラスをはずして川風に目を細め、母は唇を引いて笑った。

「二十年前にローマに初めてきたとき、彼とあそこで出会ったの。その日のうちに恋に落ちて――」

そういう言い方が、少しも不自然ではなかった。すてきな人だと、友子は思った。

「それで、アンジェラですか」

「そう。ずっとそう呼んでくれた」

母は膝の上に抱えたままのバッグをかき回して、古ぼけたパスケースを取り出した。

「愚痴いうよ、トモちゃん」

名前を呼ばれたことも嬉しかったが、友子の思惑どおりに心のうちを語ってくれることは、もっと嬉しかった。

「スィ・プレーゴ」

お願いします、と友子は頭を下げた。

パスケースの中には、赤茶けた一枚の写真が収まっていた。小さな男の子の肖像だった。

「あなたの、弟よ」

友子は手渡された愛らしい顔を眺めた。

「六つで死んじゃったの。それで夫婦の仲もおしまい」

「名前は？」

「アンジェロ。私と同じ名前。生きていれば十八になるわ」

やはり淋しい一重瞼の少年だった。友子は見知らぬ弟と自分との時間を重ね合わせた。小学校を卒業するころに、アンジェロは生れた。そして大学に入ったころ、たった六年間の人生をおえた。遠い異国に血を分けた姉のいることを、この少年は知っていたのだろうか。

テヴェレ川の風に吹かれたマロニエの葉が、アンジェロの上に散りかかった。

友子は弟を胸に抱いた。

「グラツィエ。ありがとう、トモちゃん」

この子のことを訊ねるのはよそう、と友子は思った。

「あれからは？」

「スィ」と、母は迷わずに答えた。覚悟していたような潔さだった。

「あの男には、一年もたたずに逃げられたわ。ああ、そんなこと言っても、わかるはずないわね」

「いえ、知っています。保険屋の丸山さんでしょう。背が高くて、いつも背広を着ていた。おじいちゃんと縁側で将棋をさしてましたよね」

母は俯いてしまった。

「……こわいわね、子供って」

「あなたのことはみんな忘れてしまったのに、男の人の顔は憶えている。変ですね。きっとそうしなければ生きていけなかったんだと思う。心が、記憶を淘汰してしまったんです。私――」

私、いい子になりたかったから、と言いかけて、友子は唇を嚙んだ。別れの言葉など、母は憶えてはいまい。

「スィ・プレーゴ。続けて下さい」

母は背筋を伸ばし、ジーンズの膝を組んだ。

「丸山は妙に律儀なところがあって、別れるときに有り金をそっくりくれた。今さらどうなるわけでもないけど、気持だよって。実家の敷居も高いし、おめおめとあなたのところに帰れもしない。それで、旅に出たの」

友子の心は軋んだ。

もし旅先の、目の前に見えるあの天使の城で新しい恋人に出会わなかったのなら、あなたは私のところに戻ってきてくれたのですか。

あなたが女たらしのイタリア人と恋に落ちていたとき、カフェでお茶を飲み、どこかのリストランテで食事をし、通じぬ言葉のかわりに、アパルタメントのベッドの上で男と抱き合っていたとき、私が何をしていたかあなたは知っているのですか。

あなたのかわりに、おとうさんの靴を毎朝磨いていました。おじいちゃんと一緒に、畑に出ていました。病院に行って、おばあちゃんのおむつも替えました。泣きながらにんじんを食べました。そして、そして、何も知らぬうちに女になって、どうしていいかわからなくて、松岡医院の駐車場で血だらけの膝を抱えて泣いていました。うなじを陽に灼かれながら。蟬の声に不幸をからかわれながら。

「グラツィエ。もういいです。よくわかりました」

怒りを鎮めてくれたのは、胸に抱いた弟の写真だった。「マードレを叱らないで」と、アンジェロは言っていた。

写真を返すと、まるで友子の心のうちが伝わるように、母は訊ねた。

「ところで、パードレはお元気」

「はい。相変わらずのお役所づとめです」

「そろそろ定年じゃないの」

「あと二年。でも、いいときに梨畑を売ったから」

母はテーブルの上に身を乗り出して、声をひそめた。

「彼のことは？」

「もちろん知ってますよ。いちど会わせたし」

「反対されなかったの」

「私、何もしてもらってないから。私が中学のとき再婚して、子供も二人いるんです。

家を出て、ずっとひとりでやってきたんです。だから今さら何を言われる筋合いもないの。私、鬼ッ子だったから」

顔を寄せたまま、母の掌が友子の髪に伸びた。

「ごめんね、トモちゃん」

「そういうこと、言って欲しくないです」

身をかわそうとしたが、体は凍りついたように動かなかった。母の掌は快かった。

頭を撫でられたまま、友子は両掌で口を被った。

「どうして約束を破ったんですか」

涙が指の間から伝い落ちた。

「約束――?」

「約束をしたことも忘れたんですか。私、ちゃんと守りました」

「何だったっけ」

「忘れたのなら、いいです。あなたもたいへんだったんだから、仕方ないです。でも、私は忘れなかった。これだけがんばって、二十四年もがんばり続けて、それでも私、まだ悪い子ですか。悪いところがあるのなら、足りないところがあるのなら、教えて下さい。もう、どこが悪いのかもわからないくらい、私はいい子だと思います。教えて下さい。必ず直しますから。がんばりますから」

母は友子を胸に抱き寄せた。平たい胸の片方には、乳房がなかった。この人の苦労は、とうてい聞きつくせぬほどもあるのだろうと友子は思った。

「私が、ほめてあげる」

「ほめてくれなくてもいいです。みんながほめてくれたから」

「どうすれば、いいのかしら……」

「ほめてくれなくてもいいです。許して下さい。もう、許して。堪忍して下さい」

母は別れの日の約束を思い出してくれたのだろう。乳房のない左胸が不穏に轟き始めた。

友子の背をさすりながら、母は首を少し振り向けた。

「トモちゃん。あの人、泣いてるよ」

心の虚をつかれて、友子は顔を上げた。

「何も知らないはずだけど……」

隣のテーブルで、ミスター・リーは顔も被わずにしゃくり上げていた。

言葉もそうはわからないだろうに、変な人――。

3

「ミケランジェロ・ブォナローティは、一四七五年、トスカーナ地方のカプレーゼという村に生れました。父親はあまり地位の高くない地方官吏で、母親は彼が六歳のとき亡くなっています。さあ、ではいよいよこれから、人類史上最高の芸術家ミケランジェロの傑作中の傑作、『ピエタ』を鑑賞しましょう」

声高に語る母のあとを、観光バス一台分のツアー客がぞろぞろとついて行く。

小旗を掲げた若い添乗員が、申しわけなさそうに言った。

「いやあ、助かったよチヨコさん。ガイドの大橋さんが急にぶっ倒れちゃって、なにしろ一流ガイド付きの美術鑑賞ツアーだからね。俺じゃ何の役にも立たないから、とりあえずサン・ピエトロをどうしようかって」

「大橋君、大丈夫なの？」

「けさになって、腹こわしたからだめだって。そりゃあんまりだよ。六月のハイシーズンで、ガイドなんかいやしない。チヨコさんの家にも電話したんだけど」

「仕方ないわね。サン・ピエトロだけよ。こっちもお客さんがいるんだから」

添乗員は友子とミスター・リーを振り返って、頭を下げた。

「ここの説明をしている間に、手配をしなさい。私に無理をさせてると言えば、みんな泡くって探すわ」

「わかりました。じゃあ、ちょっと長めに引っぱっていて下さい」

添乗員は再三ぺこぺこと頭を下げて、駆け出して行った。

「まったく。あきれてものが言えないわね。近ごろの旅行社はいいかげんでしょうがない。ミケランジェロを旅する、だって。ガイドがいなけりゃどうしようもない企画じゃないの——ごめんね、トモちゃん。ここだけみなさんと一緒に回ってちょうだい」

サン・ピエトロ大聖堂の壮大な空間は、ひんやりと涼しかった。玄関《アトリウム》から右に向かう人の流れに乗って少し行くと、大きなガラスに囲まれた聖壇が見えた。母は「ミ・スクーズィ」と声をかけながら、人ごみをかき分けて進んだ。

「はあい、こちらですよ。みなさんお集まりになりましたか」

友子は人垣の間から、ピエタを見た。

十字架から降ろされたキリストの遺体を抱く、聖母マリア。これほど美しく、これほど哀しみに満ちた人間の表情を、友子は知らない。ピエタ。嘆きの聖母。

雑踏の中で友子はひとりになった。

闇の底から母の声が聴こえる。

「ミケランジェロ・ブォナローティは、古代の彫刻家を超えることのできた、唯一の芸術家です。彼の最高傑作とされるこのピエタ像は、一四九八年、すなわち彼が二十三歳の若さで彫り上げた作品です。ミケランジェロは晩年に至るまでつごう四体のピエタ像を制作していますが、ふつうミケランジェロのピエタといえば、バチカンのサン・ピエトロ大聖堂にあるこの作品をさします。どうかマリアの左肩から斜めにかかるリボンをごらん下さい。ミケランジェロはあそこに自らのサインを入れています。他の代表作とされるフィレンツェのダビデ像にも、サン・ピエトロ・イン・ヴィンコリ聖堂のモーゼ像にも彼のサインはありません。自他ともに認めるこの傑作を、二十三歳の彼が創りえたことは、彼の天才ぶりもさることながら、まさしく芸術上の奇蹟と言ってもいいでしょう。高さ百七十五センチの大理石のブロックに向き合った青年ミケランジェロには、芸術の神が降りていました」

母の解説は心地よく友子の胸を吹きすぎた。

ピエタに魂を奪われたまま、友子は抗うように顎を振った。

ちがうよ、おかあさん。そうじゃない。私にはわかります。

ミケランジェロは、六歳のとき母に死なれた。私と同じです。だから大理石のブロックに向き合ったミケランジェロには、神様が降りたんじゃない。これは奇蹟なんかじゃない。

私には、彼の気持がよくわかります。彼は毎日毎日、泣きながら鑿《のみ》をふるったに決まっている。そこには神も、芸術も、バチカンも、何もなかった。名誉も、お金も、マエストロとしての矜《ほこ》りも、何もなかった。

ミケランジェロは自分を置き去りにして死んでしまった母の名を呼びながら、ピエタを彫ったんですよ。

あなたひとりにほめてもらいたかった。

許してほしかった。堪忍してほしかった。

いい子になることが、世間から賞讃されることが、つらくてつらくて仕方がなかった。

それでもミケランジェロには、鑿をふるうことしかできなかった。

呼べば帰ってくるのですか。駄々をこねて、あなたがほしいと泣けば、帰ってきてくれたのですか。

私は彼のように偉くはないけれど、私なりに一生けんめい鑿をふるいました。掌の皮が何枚もむけて、肉がさけて、血まみれになって、骨さえも砕けてしまうほど。

わかって下さい。私も彼と同じように、たくさんのピエタを作ってきたのよ。大勢の男の人にまじって、小さな私が、誰にも負けないピエタをいくつも作ってきたのよ。男が束になってかかってきても、私は負けなかった。

あなたに許してほしかったから。いえ、あなたがほしかったから。

あの日のあなたが、ほしかったから。

お願いです、おかあさん。

私を、もう許して下さい。もう、堪忍して。骨が、砕けてしまいました。もう、彫れません。

だから、名前をリボンに彫ります。聖母マリアの衣に、ミケランジェロ・ブォナローティと彫ります。

法王は怒るかもしれません。注文者の枢機卿も、フランス王も激怒することでしょう。

でも、消しはしません。

彼らのために作ったわけではないから。

これでも、だめですか。

まだ、へたなのですか。

——母の声が聴こえてきた。

「ちなみに、ミケランジェロはこのあと三体のピエタ像を制作していますが、すべて未完成です。ことに聖母マリアの部分は荒削りのまま放置されており、ミラノのスフォルツァ城美術館に所蔵される最晩年の作品『ロンダニーニのピエタ』に至っては、二つの石塊がただ寄り添っているような姿をしています。ごらんになる機会があれば、どうかそのあたりにご注目下さい」

母の声は人の流れとともに遠のいて行った。歩み去りながら、母はよく通るガイドの声で続けた。

「しかし、ミケランジェロの芸術が、このピエタ像を頂点にして衰弱したというわけではありません。彼はダビデを作り、モーゼを作り、システィーナ礼拝堂の大天井画や、『最後の審判』の大壁画を描きます。そして——」

ミスター・リーに背中をつつかれて、友子は薄闇の大聖堂を振り返った。

「トモコ、おかあさんをみて」

母は一瞬、友子を見据えた。そして目が合うと、細い指先を高々とかかげて、世界で一番大きな寺院建築の、夏の陽射しが神の慈愛のようにくっきりと降り注ぐクーポラを指し示した。

「そしてとうとう、教皇ユリウスⅡ世の悲願であったこのサン・ピエトロ大聖堂を完成させました。ミケランジェロの弟子たちによってクーポラがかけられ、地上から百三十六メートルの高さに十字架が据えられたのは一五九三年、すなわち彼の死から二十九年後のことですが、このカソリック総本山の設計者が彼であることにちがいはありません。ミケランジェロ・ブォナローティは紀元三二四年のコンスタンティヌス皇帝の発願以来、千二百年あまりの時をかけて、カソリックの悲願であったサン・ピエトロ大聖堂を完成させたのです」

千年の石の重みが体じゅうにのしかかって、友子はピエタの前に蹲《うずくま》った。

ミスター・リーがおろおろと顔を覗きこんだ。

「どうしました、トモコ。きぶんわるいですか」

「大丈夫。心配しないで、李さん。疲れたからホテルに帰るって、あの人に言ってきて。私、とてもこの聖堂は歩けない」

ひどいよ、おかあさん。

私はミケランジェロじゃないのよ。

もう何もできない。もう、一歩も歩けない。

4

緑濃いボルゲーゼの森のほとり、ホテル・エデンは百年の間、百個の灯りを百の窓にともし続けている。

深い眠りから目覚めると、窓の向こうに昏《く》れなずむ藍色の空があった。午後九時。ローマの夜は何て気まぐれなのだろう。

クリーム色の壁。高い天井には、小さいがセンスのよいシャンデリアが輝いている。壁ぎわのソファで、ミスター・リーが日本語の童話を読んでいた。この一年間、お店の中でも、待ちぼうけの喫茶店でも、彼はいつも絵本を開いている。あと二年したらトモコの作った本も読めるようになりますよと、いつか言っていた。

この人は、誰？

「あ、めがさめましたか、トモコ」

鼠の鳴き声のように、甲高く、癇に障る声でミスター・リーは言った。

白いドレスが、出窓に造りつけられたソファの上に、きちんと畳まれて置いてある。剝き出しの脚を、友子はシーツに隠した。

「ごめんなさい、トモコ。あせびっしょりだったから、かぜひくとおもって……なるべく、めをつぶってましたけど、ごめんなさい」

「ずっと、ここにいてくれたの？」

「はい、でもみてないから、だいじょうぶ」

この人は、誰？

肌には指一本ふれず、欲しがりもせず、いつもにこにこと笑っている。

「ねえ、李さん。ひとつ聞きたいんだけど」

と、友子は枕に顔をなかば埋めて訊ねた。

「あなた、体悪いの？」

「え、びょうきないですよ」

「そうじゃなくって、つまり……何て言うのかな、女の人を抱けない体かってこと」

突然やってきた遅い夜のように、ミスター・リーの表情が翳った。

「それ、ちがいます。ひどいごかいですね、トモコ」

「だったらどうして私を抱かないの。誘ったこともないし、手を握ってもくれない」

「けっこんするまではいけないって、いってました」

そんなことを言っただろうか。だとしたら自分は、この人の心をおもちゃにしている。

結婚しようとする自分が信じられず、いったい冗談なのか本気なのかもまだわからない。

「でも、ぼくはわかってますよ。トモコのこと。わかっているから、やくそくまもります」

「どうわかっているの。聞かせて」

童話を閉じて、ミスター・リーは膝の上に掌を組んだ。貧乏ゆすりは止まらない。

「もう、いってもいいですね。ようするに、トモコはわかれたおかあさんにあう。そのひのために、ぼくがひつようなんでしょう？　なやんでいるの、わかります。わかるからね、リーさんはそれがとてもよくわかるから、トモコのためになります。それだけ。

対不起《トエプチー》。ごめんなさい、それだけ。だいすきなトモコに、ぼくのできることは、それだけ」

ミスター・リーは、またソファに沈んで童話を開いた。

「もっとうまく言ってよ、李さん。私、あなたの言うこと、よくわからない」

「対不起。ごめんなさい。うまくいえない」

ミスター・リーは絵本をかざして顔を隠してしまった。

この人には、別れた男の話ばかりをした。それぞれの出会いや初めての夜や、別れ話のごたごたや夜ごとの愛のかたちまでを、話した。誰にも言えなかったことを、みんな話してしまった。まるで、木や石に語るように。

「トモコ、べつのおへやをとりましたよね、ずっと。このさきも、フィレンツェでもミラノでも、べつべつです。トモコのことすきだから。トモコがリーさんのこと、あんまりすきじゃないのしってます。でも、リーさんはトモコのこと、ほんとにほんとに、しぬほどすきだからね。だからトモコのいやなことしないです。からだ、どこもわるくないですよ。おんなすきですよ。でも、トモコのいやなことできない」

「どうして？」

「すきだから。我真的《ウオチエンダ》愛你《アイニー》。あいしてるから、ほんとは――」

と、ミスター・リーは絵本で顔を隠したまま、声を詰まらせた。

「ほんとは、けっこんなんかしてくれなくていいです。リーさん、すてられていい。トモコのアイレンになれるかもしれないっておもってね、うきうき、どきどき、それだけでいいです。リーさんかくごしてますから。おかあさんとあってね、おかあさんとトモコのことよくしらないけど、けつろんでてね、ぼくがやくにたってにほんにかえったら、もうすてていいです。再見《ツァイチエン》、さよなら、しかたないです。かなしくないですよ、いちねん、とってもたのしかったからね。さいごにトモコとイタリアにきたの、リーさんいっしょうのおもいで」

——この人は、誰？

何人もの男たちとの、数えきれぬ夜の涯《はて》に、ふわりと舞いおりたこの人は、誰？

他人の愚痴ばかりを聞いて、自分のことは何ひとつ語らない。そのくせどんな話も、決して聞き流すふうはない。自分の理解できる言葉にいくども直させて、泣いたり笑ったり怒ったりする。他人の痛みや喜びを自分のものに変えてしまう。

「偽善者」

頭をかすめた暗い言葉が、声になってしまった。

「ぎぜんしゃ？」

「見せかけのいい人よ。善人ぶって、それで他人の心を奪おうとする悪いやつのこと」

「ちがいますよ。リーさん、そんなのじゃないです」

友子はベッドからはね起きた。こんな男、いるはずがない。こんな人間、世の中にいるはずがない。快楽のためなら人間はどんなことでもする。

「私がまだ冗談半分だって知っているから、あなたは計算しているのよ。傷心の私を慰めれば、私を手に入れることができるから。私の心を動かすことができるから。寝ている女の服を脱がせて、なるべく見ないようにしていましたですって？　そんなばかな話、誰が信じるの」

「ほんとだよ、トモコ。リーさんめをつぶってました。なるべくさわらないように、そっとぬがせたよ。きがつかなかったでしょう？」

「もうけっこう。あなたの浪花節は、もうけっこう」

友子はベッドから降りると、下着をかなぐり捨てて、生れたままの姿になった。

「私、信じない。おとうさんもおかあさんも私を捨てたのに、私のためにすべてを捧げる人がいるなんて、信じない。目を開けてよ。目を開けて、私を見てよ。女が好きなら、私を抱けばいい。歌舞伎町のコールガールより、よっぽど上等だわ。何人もの男が、夢中になってくれた体よ」

ミスター・リーは青ざめ、のがれるように顔を伏せた。

「抱いてよ、李さん。めちゃくちゃにしてよ」

歩み寄ると、ミスター・リーは顔を被いながら立ち上がった。

「トモコ、そのためにローマにきたわけじゃないです。だからだめ。おかあさんがかわいそうです」

とっさに友子は、ミスター・リーの頰を平手で打った。

「ふざけたこと言わないで」

「ふざけてませんよ。トモコはおかあさんをあいしてる。でもリーさんのことはあいしてない。だからリーさんがトモコをだくのは、ふりんです」

友子はもういちど、音高くミスター・リーの頬を打った。

「あなた、男でしょ。男なら男らしく、好きな女を抱けばいいじゃないの。変な理屈は言わないでよ」

「りくつちがいます。トモコをだいたひとがみなそうしたなら、そのひとたちみんなおとこじゃないです。にんげんじゃないです。にんげんならおとこなら、みんなリーさんとおなじにするはず。リーさんばかですよ。だいがくいってもなにもわからないから、にほんじんについてけないからやめました。しゃんはいがにとか、ぴいたんとかうって、おかねもうけします。それしかできないからね。でもばかだけど、トモコのことあいしてる。たぶん、トモコのはなしてくれたいままでのおとこだれよりも、トモコのことあいしてます。我真的愛你。しんじてください、トモコ。リーさん、もう……」

ミスター・リーは急に声をすぼめて、浅黒い腕を子供のように瞼にあてた。

「もう、トモコにころされてもいいです。こんなのじゃまなら、リーさん、しにます」

ひとしきり泣くと、ミスター・リーは乱れたベッドからシーツを抜きとって、立ちすくむ友子の体をくるんだ。

「てるてるぼうず。トモコ」

ごめんなさい李さん、とトモコは素直に詫びた。

この人は、いったい誰？

「ぎぜんしゃ。にほんご、ひとつおぼえましたね。でも、あんまりいいことばちがう。しらないほうがよかったです」

友子はてるてる坊主のようにうなじを垂れて、もういちど「ごめんなさい、李さん」と言った。

「そうそう。トモコのねてるあいだに、ファックスいっぱいですよ」

ミスター・リーは朗らかな笑顔を取り戻して、書類の束を差し出した。編集部からの連絡や原稿に混じって、母からの手紙があった。サン・ピエトロからの帰りがてら、フロントに届けたのだろう。

金釘を並べたような、ひどい右上がりの字が並んでいた。

(明日もし時間があれば、Trastevere の appartamento に寄って下さい。お渡ししたいものがあります)

住所と電話番号が添えてあった。

手足のさきから、体がひんやりと冷えていった。

「李さん。私、淋しいの。一緒に寝てくれないかな」

素直な気持で友子は言った。

「だめだめ、リーさんすけべですから、じしんないです。そのかわり、トモコのねむるまでベッドのそばにいます」

「そんなのよけい恥ずかしいわ」

「いえ。さっき、トモコのねがお、ずっとみてました。きれいですね。こどもみたい」

その夜、ミスター・リーは本当にベッドのかたわらに跪《ひざまず》いて、友子の眠りを見守っていてくれた。

古窓のローマの空に、銀色の満月がかかっていた。

5

トラステヴェレは文字通りテヴェレ川の向こう岸、古煉瓦のアパルタメントがぎっしりと建ち並ぶ、ローマの下町である。

市街のパノラマが開けるホテル・エデンのリストランテで朝食をとり、母に電話を入れた。

無理ならいいのよ、と母は言った。

冷たい言い方に聞こえたが、そうではあるまい。フィレンツェ行きの列車の時間までには、余裕があった。

母の住む町を訪ね、母の住む家に立ち寄ることに、それほど意味があるとは思えなかった。むしろテルミニ駅で送られるよりは、トラステヴェレのアパルタメントの窓から手を振ってもらったほうがいいと思った。駅で母と別れたくはなかった。

ホテルの前から黄色いタクシーに乗って、一方通行だらけの石畳の迷路を走る。ガリバルディ橋を渡れば、川と丘とに囲まれたトラステヴェレの下町だった。

ここの住人たちはみな、自分たちだけが古代ローマ人の子孫だと信じていると、陽気な運転手は笑った。

モザイクの美しいサンタ・マリア・イン・トラステヴェレ教会の近くでタクシーを降りた。中世の街並そのままの入り組んだ路地を歩く。ホテルのフロントで説明された道順は、何の役にも立たなかった。

「ヴォッレイ・アンダーレ・クイ――」

ここに行きたいのですが、と母の住所を示して、会う人ごとに訊ねた。

テーブルを並べ始めたピッツェリアの店員も、路地裏の工房で靴を縫う老人も、みな親切に行き先を教えてくれた。迷路を行きつ戻りつしながら、それでも少しずつ、友子は母の住む家に近付いていった。

「きのう訪ねてこなくてよかった」

「それ、つらいねトモコ。スペインひろばでよかった。せいかいです」

「日本から電話したときね、こっちからおじゃまするって言ったの。そしたら、いえ、ホテルに行くわって言われた」

「それでまんなかのスペインひろば」

「そう。でも、正解だった。きのうここを訪ねたら、私、何を言ったかわからない」

「どうして？」

「だって、犯人さがしみたいじゃない。敵討ちか」

「かたきうち？」

「そう。ここで会ったが百年目。やっと追いつめた、って感じね」

「おこっちゃだめよ、トモコ」

「怒らないわ。笑ってさよならする」

石畳の小径を登った。そこは両側に中世そのままのすりへった家が建つ、ほの暗い坂道だった。どの家々にも玄関に並んで、今では用のなくなった馬小屋の扉が付いていた。

(藤の木が路地をまたいでいるわ。葉っぱのアーチになっているから)

行く手に、母が電話口で言ったとおりの風景があった。路地の小さな曇り空に、鮮やかな緑が映えていた。生い茂る蔓のところどころに、散り遅れた藤の花が残っている。

繁みが路地をまたぎ、岐《わか》れた幹が煉瓦塀に沿って這い登るほの暗い闇の中に、騎馬のまま通り抜けることのできそうな門が、ぽっかりと口を開けていた。

トンネルの先に、白い光に満ちた中庭があり、不揃いな石畳の上を、湿った風が吹き抜けた。

円く切り取られた光の中に、籐の椅子にもたれる母の姿があった。

緑の葉と真赤な夏の花が、小さな母を囲んでいた。ベゴニア、ゼラニウム、インパチェンス。そして母の頭上には、赤いブーゲンビリアと、エニシダの黄色い花の群が、アパルタメントの屋根から滝のようになだれ落ちていた。

足元に眠るシャム猫を抱き上げて、母はにっこりと笑った。

「ブォンジョルノ。アヴァンティ！」

陽に灼けた顔をサングラスで隠してから、母は二人を手招いた。

「お部屋、ちらかってるから。ここでいいわね」

長い歴史の重みに歪んでしまったトンネルを、友子は歩き出した。真赤な夏の花に囲まれた母の姿が、円い光の中に一歩ずつ近付いてくる。

おかあさん。私のおかあさん。

きのうは一晩じゅう、おかあさんの夢を見ました。生れた家で、おかあさんと二人きりで暮らしている夢です。

李さんの子守唄が、消してしまった私の記憶を、夢の中で甦らせてくれました。

縁側であやとりをしましたね。多摩川の河原で、とんぼを追いましたね。赤い夕陽の土手の道を、手をつないで帰りましたね。

ああ、でも――おかあさんには真白な梨の花よりも、真赤なブーゲンビリアのほうがよく似合います。

ゆうべ、李さんの前で裸になったとき、気付いたんです。私はおかあさんの子供だって。私の体の中には、おかあさんの血が流れているんだって。

だからもう、おかあさんのことは恨みません。私もおかあさんと同じ立場なら、きっと同じことをしたと思ったから。

おかあさんのメッセージと一緒に、東京からたくさんのファックスが届いていました。私がいなければ仕事が進まない。本ができない。立派な家庭に生れ育って、すべてを与えられてきた人たちが、今はみんな私を頼ってくれます。仕事がつらくて、ずっと不公平だと思ってきたけれど、そうじゃなかった。

おかあさんは、私に奇蹟を起こしてくれたのですね。こんなにすばらしい、誰からも必要とされる人生を、あなたの悲しみと引きかえに、私に与えてくれたのですね。

きれいなお庭――いったいこのアパルタメントは、何年前のものでしょう。四百年？五百年？

蔦のからまる窓のどこかで、おかあさんは愛した人と暮らし始めたのですね。弟は――アンジェロはこの庭で遊んだのでしょうか。

けっして後悔しないで下さい。私はおかあさんの人生を、誇りに思っていますから。世界中の人がひとり残らずおかあさんを責めても、私はあなたのすべてを理解していますから。あなたの娘であることを、誇らしく思っていますから。

「トモちゃん。これ、おみやげ」

母は膨らんだショルダー・バッグの中から、ぶ厚い紙袋を引きずり出した。

「何ですか？」

「て、が、み」

母は真白な歯を見せて笑いながら、指を振った。

「手紙？」

袋を開こうとする友子の手を、母は握りしめた。

「東京に帰ってから読んで」

籐椅子にもたれて、母はジーンズの細い脚を組んだ。せわしなく手ぶりをまじえ、底抜けに明るいイタリア人の表情で、母は言った。

「ときどき、あなたに手紙を書いたの。どういうわけか、みんな送り返されちゃった。じいさんよね、犯人は。そのうち、書くのもやめた。読みたくなかったら、そのままごみ箱に捨てて。私ももう、何を書いたかなんて覚えていないわ」

母は軽々と立ち上がって、小さな中庭の空を吸いこむように伸びをした。

「エ・スタート・ウン・ピアチェーレ・コノーシェルラ！」

会えて嬉しかった、と朗らかに言って、母はうなだれる友子の肩を叩いた。

「あの、これからどうするんですか」

「きょうは午後から仕事。腹をこわしたガイドのかわりよ」

「いえ、そうじゃなくって、このさき――」

「ノン・ファ・ニエンテ」

気にしなさんな、と母は高らかに笑った。

「今じゃガイドの生き神様よ。おまけに日本人の観光客には不自由しない。四万円ていう日当が、この国じゃどんな高給取りかわかる？　まだまだあなたには負けないわ——で、そのうちいい男でも見つける」

Ｔシャツの肩をすくめて、母はおかしそうに舌を鳴らした。

「さあ、行きなさい、トモちゃん。用事はそれだけ。あ、そうそう。もうひとつあった」

母はすっくと立ち上がり、ブーゲンビリアの花の下まで大股で歩いて、気を付けをした。

「ごめんなさい、トモちゃん。このとおり」

お道化たまま、母は深々と頭を下げた。

気付いたことがあった。何て不器用な人なんだろう。ほころびをうまく繕えずに、つぎはぎの人生にしてしまった。

でもね、おかあさん。

おかあさんのつぎはぎは、大きなパッチワークみたいで、きれいだよ。まるでブーゲンビリアの花の下に、何だかよくわからないけどとってもきれいなタペストリーが、拡げてあるような気がします。

そんなおかあさんが、大好きです。

「アリベデルチ」

頭を下げたままそう呟いたとたん、母は両手で鼻を被った。泣き顔を見たくはなかった。

「アリベデルチ、マードレ」

友子は石の上に踵《きびす》を返した。トンネルに歩みこんだとき、母はもういちど、こんどは大声で呼び止めた。

「ミスター・リー！」

きょとんと振り返ったミスター・リーに駆け寄ると、母はその貧相な体を力いっぱい抱き寄せた。そして、はっきりと言った。

「アンジェロ。この子を幸せにしてあげて」

とまどいながらミスター・リーは答えた。

「ぼくは、アンジェロではないです」

「ノ、ノ。あなたはアンジェロ。私にはよくわかるわ。あなたはトモコの天使。お願いよ、李さん。友子を幸せにしてあげて」

ミスター・リーは頬ずりをするように、何度も肯いた。

「わかってます、おかあさん。やくそくするから、もうなかないで」

ミスター・リーは母の細い体を抱き起こすと、まるで壊れ物でも置くようにそっと、籐椅子に座らせた。

「アリベデルチ、アンジェロ」

「ありべでるち、おかあさん」

もう行け、とでもいうふうに、母はひらひらと掌を振った。

湿ったトンネルを抜けるとき、友子はサン・ピエトロ大聖堂のひんやりとした冷気を肌に感じた。

サンタ・マリア・イン・トラステヴェレ教会の鐘が聴こえてきた。きょうは日曜日だ。

藤のアーチをくぐって路地に出ると、アパルタメントの壁を切り分けて、赫《かがや》かしい夏の陽が降り落ちていた。

「アリベデルチ、マードレ」

トンネルを振り返る。

消し去った記憶のかわりに、二十四年のあいだ瞼の裏で彫り上げてきた婀《たお》やかな母の姿がそこにあった。

おかあさん。祝福をありがとう。私、この人を愛します。私自身を愛します。そして、おかあさんを愛し続けます。

クーポラの高みから降り注ぐ陽光の下で、母は純白のピエタそのままに、ぼんやりと首をかしげていた。

解説

三浦哲郎

小説家のなかには、その名を耳にしただけで、代表作の中身はもとより初めてそれに接したときの感動までもがまざまざと思い出される一群の人々がいる。たとえば、川端康成と聞けば「伊豆の踊子」や「雪国」が、山本周五郎と聞けば「樅ノ木は残った」や「青べか物語」が、たちまち脳裡に浮かんで、それらの作品にまつわるさまざまな記憶が一斉によみがえってくるというふうに。

けれども、これはほんの一握りの人たちだけに関わることで、みながみなそうだと言うのではない。小説家の誰もがそれぞれ自分の代表作を持っているのだが、ただそれがその人の最良の作品だという理由だけで読者の記憶に留まるのは難しい。読者の記憶に留まってなおかつそこに深く根を下ろすためには、作品そのものが人の心を魅了してやまない力に溢れていなければならないのは言うまでもないが、そればかりではなく、なにがしかの幸運に恵まれることもまた必要なのである。

浅田次郎は、いまやそんな一握りの小説家たちの一人だと言っていいだろう。彼の名を耳にするとき、大方の人々はすぐさま「鉄道員《ぽっぽや》」という彼の作品を思い浮かべるにちがいない。周知のように、「鉄道員《ぽっぽや》」は第百十七回の直木賞受賞作であり、その後、映画にもなって好評を博した。それ以来まだ数年にしかならないのだが、もはや浅田次郎と「鉄道員《ぽっぽや》」は固く結ばれ合っていて切り離すことができない。おそらく、両者はこの先も、好むと好まざるとにかかわらず持ちつ持たれつの二人三脚の旅を長くつづけることになるだろう。

これは、花のある作品を産んでしまった小説家の宿命でもある。彼は、その作品がいかに重荷になろうとも、途中で捨てたり置き去りにしたりはできないし、作品の側から言えば、たとえ彼が自分にうんざりしていることに気づいたとしても、素知らぬ顔でどこまでもしつこく付き纏《まと》うほかはないのである。浅田次郎は、生涯「鉄道員《ぽっぽや》」の小説家と呼ばれることに、甘酸っぱい思いを嚙みしめながら堪え抜く覚悟をしなければならない。

「鉄道員《ぽっぽや》」は、浅田次郎の代表作であると同時に彼の文学世界への案内人でもあって、私の周囲にも、初め「鉄道員《ぽっぽや》」を読んで、病みつきになったという人が多い。実は、私自身もそのうちの一人だから、あの作品を抜きにして浅田次郎を語るわけにはいかない。

私は、正直いって、「鉄道員《ぽっぽや》」に出会うまでは浅田次郎のことはなにも知らなかった。

それ以前の作品は一篇も読んだことがないばかりか、そんな小説家が存在することすら知らなかった。「鉄道員《ぽっぽや》」を読んだのもそれが直木賞に選ばれてからである。私は、直木賞と併設されている芥川賞の選考に携わっているものだが、生来怠け者の上に頑固な偏食癖があり、お隣の直木賞畑の事情にはとんと疎くて、受賞作もあまり読んだことがない。だから、「鉄道員《ぽっぽや》」も親しい編集者に薦められて、しぶしぶ読んだのであった。

ところが、それが稀に見る、よい作品であった。私は、二度繰り返して読んで、これが本当に新人の作品なのかと驚き、こんなに腕のいい新人がこれまでどこに潜んでいたのかと不思議な気がした。

いまここで「鉄道員《ぽっぽや》」の梗概を私の口から述べることもなかろうが、一口に言って、これは雪深い北海道のちいさな単線の駅に四十五年も勤続している老駅長の生涯最後の一日と、その夜彼を訪れる一つの哀切な奇蹟を描いた作品である。私は、なによりも文章がいいのに感心した。無駄も装飾もない、的確で、簡潔な、それでいてすこしも固苦しくなく、しなやかで、ぬくもりさえ感じさせる文章。それに、会話がとてもよく出来ていた。この作品は、地の文よりも会話の方が多いくらいで、しかもその会話のほとんどが独特の訛《なまり》を持つ北海道弁なのだが、それを東京生まれの作者はまるで根っからの道《ど》産子《さんこ》のように厭味なく巧みに駆使して、味わい深いやりとりの流れを作り上げているのである。

また、クライマックスの奇蹟の場面も、それをもたらす三人の少女たち——実際は一人なのだが、年代によって三様に姿を変える――がいずれも可憐で素直で美しく、その言動は非現実のものながらまことに自然で、しみじみとした情感を湛えているのは、作者の優れた稟質と力量のたまものだろう。

私は、「鉄道員《ぽっぽや》」について語りすぎただろうか。けれども、この作品について語ることは浅田次郎を語ることであり、同時に、この作品を案内者として彼の文学世界に散在している小説家としての特質をつぶさに辿ることなのである。実際、先に「鉄道員《ぽっぽや》」で見た文章や会話についての技術的な美点はもちろん、あの老駅長の乙松《おとまつ》がそうだったように、真摯で、淳朴で、頑固一徹で、心優しくて、涙もろい人間への、作者の憧れにも似た深い共感なども、他の作品に底流となって息づいていることが、たとえばこの作品集「月のしずく」を読んでみるとよくわかる。

ここには、一九九六年から九七年にかけて発表された七篇が収録されているが、直木賞の受賞は九七年の上半期だったから、「鉄道員《ぽっぽや》」と前後して書かれた作品だろう。いずれも物語性の豊かな力作ばかりだが、どの作品にも乙松の匂いを発散する人物が出てきて、興味深い。一人だけ例を挙げれば、「月のしずく」の佐藤辰夫。彼は、港のコンビナートで長年〈蟻ン子〉と呼ばれる荷役《かえき》をしている一人暮らしの労働者だが、ある満月の晩、工場からの帰りに、ふとしたことから男と悶着を起こして傷ついたリエという女を背負って塒《ねぐら》へ帰ることになる。その後、二人は何日か奇妙な共同生活をするのだが、彼はリエへの無償の奉仕に不思議な歓びをおぼえ、深い愛にのめり込んでリエが身籠っている愛人の子を自分の手で産ませたいと願うに至る。

こんな場面がある。

リエの咽《のど》から、泣き声とも笑い声ともつかぬ呻きが洩れた。慄えながら呻きながら、リエはまたようやく言った。

「あなた、誰なのよ。いったい、誰なのよ」

人間の男ではない何者かが、月あかりの中でじっと自分を見つめている。

ブレザーの袖を瞼にあてて、男は小さく呟いた。

「俺ァ、蟻ン子です」

そうかもしれない。汚れた作業着を着て、朝から晩まで段ボール箱を担いで歩く男の姿が目にうかんだ。

「したっけ、リエさん。俺、あんたを幸せにするためなら、何だってするし、おなかの子も、そりゃあ社長さんの子供よりかは不自由させるかもしらねえけど、ちゃんと大学まで行かせて、立派にします。蟻ン子の子を、まさか蟻ン子にはさせねえです。だからリエさん、その子は殺さんで下さい。俺が責任持って育てっから、その子は俺に下さい」

それから男は、リエの慄える腕をそっと握った。

こういう男を語るときの、作者の吐息の熱さが行間から伝わってくる。

この作品集から、好きなものを一篇だけ選べと言われれば、私なら、ヤクザに匿《かく》まわれている殺し屋と、その世話役に雇われたアルバイト学生と、キャバレー勤めの恋人との不思議な三角関係をクールに描いて、ヘミングウェイの味を思わせる「銀色の雨」を選ぶだろう。

（作家）

初出掲載誌

月のしずく　「オール讀物」一九九六年十一月号
聖夜の肖像　「オール讀物」一九九七年二月号
銀色の雨　「オール讀物」一九九六年七月号
琉璃想　「別冊文藝春秋」一九九七年秋季号
花や今宵　「オール讀物」一九九七年六月号
ふくちゃんのジャック・ナイフ　「オール讀物」一九九七年八月号
ピエタ　「小説すばる」一九九七年九月号

単行本
一九九七年十月　文藝春秋刊

文春文庫

月《つき》のしずく
定価はカバーに表示してあります

2000年8月10日　第1刷
2007年12月5日　第24刷

著　者　浅《あさ》田《だ》次《じ》郎《ろう》
発行者　村上和宏
発行所　株式会社 文藝春秋
東京都千代田区紀尾井町 3-23　〒102-8008
TEL 03・3265・1211
文藝春秋ホームページ　http://www.bunshun.co.jp
文春ウェブ文庫　http://www.bunshunplaza.com
落丁、乱丁本は、お手数ですが小社製作部宛お送り下さい。送料小社負担でお取替致します。

印刷・凸版印刷　製本・加藤製本
Printed in Japan
ISBN4-16-764601-3

文春文庫

エンタテインメント

（　）内は解説者。品切の節はご容赦下さい。

眠る鯉
伊集院静

六月晦日の朝、一人の老人が鉄橋の下で眠るように死んでいた。生涯独り身を通した老人の秘められた過去の美しい物語、表題作他、「花いかだ」など胸を打つ七つの短篇小説集。（清水良典）

い-26-11

バガージマヌパナス
わが島のはなし
池上永一

「この島は怠け者を愛してくれるから自分はここで死ぬまで楽をするつもりだ」。ガジュマルの樹の下で呟く美少女綾乃が聞いた神様の御告げとは……。日本ファンタジーノベル大賞受賞作。

い-39-1

風車祭《カジマヤー》
池上永一

島を彷徨う少女の魂に恋した少年、九十七歳の生年祝い＝風車祭を迎えようとするオバァ、そして島を襲う危機。沖縄を舞台に生命力とユーモアに満ちた壮大なファンタジー。（与那原恵）

い-39-2

夏化粧
池上永一

産婆のオバァのかけたまじないによって、姿を見えなくされてしまった我が子のため、若き母親は「陰」の世界に飛び込んでゆく。美しい南の島の切ないファンタジー。（北上次郎）

い-39-3

ぼくのキャノン
池上永一

豊かで美しい村の守り神である、帝国陸軍の九六式カノン砲「キャノン様」。だがそこには村の運命を左右する、ある秘密が隠されていた。沖縄出身の著者が描くマジックリアリズムの世界。

い-39-4

黒焦げ美人
岩井志麻子

妾稼業の姉の家には、岡山ではまれな遊び人たちが集まってくる。でも或る日、姉は殺された。それも全身を黒焦げに焼かれて……。実際の事件に取材した、岩井版「冷血」。（辛酸なめ子）

い-59-1